dumont-taschenbücher

KT-404-958

Richter, Horst, 1926 in Leipzig geboren, studierte Kunstgeschichte, Theaterwissenschaft und Germanistik in Köln. Dissertation: ›Johann Oswald Harms – ein deutscher Theaterdekorateur des Barock‹. – Stellv. Generalsekretär der Deutschen UNESCO-Kommission, Präsident der Sektion der Bundesrepublik Deutschland des Internationalen Kunstkritikerverbandes (AICA).
Publikationen:
El Lissitzky, Sieg über die Sonne – Zur Kunst des Konstruktivismus, Köln 1958; Georg Muche, Recklinghausen 1960; Leo Breuer, Recklinghausen 1969; Malerei unseres Jahrhunderts, Köln 1969, ²1977; Anton Räderscheidt, Recklinghausen 1972; Kunstjahrbuch (Hrsg.), Hannover 1972/73, Mainz 1976–79; Die Bundesrepublik Deutschland und die UNESCO (Hrsg.), Köln 1976; Kunst in den siebziger Jahren – AICA-Kongreßbericht (Hrsg.), Köln 1978; Beiträge für Bücher, Ausstellungskataloge, Zeitschriften und Zeitungen.

Horst Richter

Geschichte der Malerei im 20. Jahrhundert

Stile und Künstler

DuMont Buchverlag Köln

Umschlagabbildung (Vorderseite):
Fernand Léger, Das große Frühstück (Ausschnitt), 1921 (vgl. Farb-
tafel 21)

Umschlagabbildung (Rückseite):
Peter Blake, Little Lady Luck (Ausschnitt), 1965

6. erweiterte und aktualisierte Auflage 1985

© 1974 Verlag M. DuMont Schauberg, Köln
© 1977 DuMont Buchverlag, Köln
Druck und buchbinderische Verarbeitung: Boss-Druck, Kleve

Printed in Germany   ISBN 3-7701-0776-4

Inhalt

Vorbemerkung

Das vorliegende Buch ist ausschließlich der Malerei unseres Jahrhunderts gewidmet. Es berücksichtigt die wichtigsten Stile in chronologischer Abfolge und kann deshalb nur bedingt als kunstgeschichtliche Abhandlung verstanden werden. Bei der Auswahl der einzelnen Kapitel stand die Bedeutung der einzelnen Stile für den Gesamtzusammenhang im Vordergrund und nicht in jedem Falle der Rang der sie vertretenden Maler. Die Hinweise auf Künstler und Werke beschränken sich auf das für die Charakterisierung der Stile notwendige Maß. Künstler, die mit keinem Stilbereich in Verbindung zu bringen sind, mußten unberücksichtigt bleiben. Bei der Definition der Stilbegriffe wurde eine möglichst exakte Abgrenzung versucht, wobei für die Zeit nach 1970, in der die Beurteilungen noch fließend sind, eine Übereinstimmung mit der Mehrheit der kritischen Meinungen angestrebt wurde. Die Bildbeispiele sind so gewählt worden, daß möglichst viele Künstler mit charakteristischen Werken vertreten sind.

Fauvismus

Der Fauvismus stand am Anfang aller Kunstströmungen, die unser Jahrhundert im abendländischen Raum hervorgebracht hat. Er war ein Aufstand des Farbgefühls und eine »Reaktion gegen alles, was einem aus dem Leben gegriffenen Klischee ähnelte« (Derain). Die Maler dieser Richtung, Fauvisten oder Fauves genannt, lehnten die nuancierte, atmosphärisch-flimmernde Farbigkeit der Impressionisten ab und ließen sich von den hellen, ungemischten Tönen der Palette faszinieren. Sie trieben die Farbe zu einer Intensität, die bis dahin undenkbar gewesen war, und sie steigerten die Suggestivkraft des Kolorits schließlich dadurch, daß sie es weitflächig auftrugen. Auch wählten sie Farben, die im Grunde unrealistisch waren, weil sie mit jenen der Natur nicht übereinstimmten. So können Häuser in den Bildern dieser Maler ultramarin oder in saftigem Grün erscheinen, Meer und Himmel strahlend gelb, Bäume in leuchtendem Zinnober.

»Die Farben wurden für uns zu Dynamitpatronen«, erinnerte sich Derain, »sie sollten Licht entladen. Die Idee in ihrer Frische war wundervoll, daß man alles über das Wirkliche hinausheben könnte. Das große Verdienst dieses Versuchs war die Befreiung des Bildes von jedem nachahmenden und konventionellen Zusammenhang.« In wilder Freude und mit breiten Pinselhieben schmetterte Vlaminck, der virtuoseste unter den Fauves, seine Farben auf die Fläche, ungemischt und ungetrübt, so wie sie aus der Tube kamen. Matisse, ein wenig gedämpfter: »Ich hatte eine feste Vorstellung von den Farben eines Gegenstandes. Ich setzte meine erste Farbe auf die Leinwand, dann eine zweite daneben und fügte, anstatt diese wieder wegzunehmen, wenn sie mit der ersten nicht übereinzustimmen schien, eine dritte hinzu, die sich mit beiden vertrug. Das ging so weiter, bis ich das Gefühl hatte, eine vollkommene Harmonie in meinem Bild geschaffen zu haben.«

Die Wurzeln des Fauvismus, der seinen Künstlern viele individuelle Freiheiten ließ, sind verzweigt und reichen zurück bis in die letzten Jahre des vergangenen Jahrhunderts. Bereits um 1898 gelangten Matisse und Marquet zu Bildern, in denen nicht mehr der überlieferte Formenschatz oder das Motiv eine Rolle spielte, sondern die Farbe. Sie übernahm, ganz im Sinne Cézannes, eine ordnende, konstruktive, ja architektonische Aufgabe. Die Tiefenillusion wurde eingeschränkt, das zweidimensionale Bildfeld konnte seine Autonomie entwickeln. Der letzte Schritt, den später die Kubisten wagten, bereitete sich hier vor. Zugleich begann die Malerei, sich aus den jahrhundertelangen Bindungen an Religion, Historie und Literatur zu lösen. Ihr alter Auftrag erlosch, Gestalten, Ereignisse, Situationen und Visionen festzuhalten. Sie brauchte nicht mehr referierendes oder interpretierendes Abbild sichtbarer Wirklichkeit zu sein.

Die zentralen Persönlichkeiten des Fauvismus waren Henri Matisse, André Derain (Ft. 1) und Maurice Vlaminck (Abb. 1), die aus Paris und Umgebung stammten. Um sie scharten sich nach und nach und für unterschiedliche Dauer Henri Manguin, ebenfalls aus Paris, Albert Marquet aus Bordeaux, Jean Puy aus der Gegend von Lyon, Charles Camoin aus Marseille und die vier von der Kanalküste: Georges Braque, Emile-Othon Friesz, Raoul Dufy und Louis Valtat. Einziger Nichtfranzose in dieser Runde war und blieb der Niederländer Kees van Dongen.

Alle diese Künstler haben dem Fauvismus zu einem reich akkordierten Erscheinungsbild verholfen, auch wenn dieses in summa uneinheitlich ausfiel. Der Mangel an optischer Geschlossenheit des neuen Stils ist darauf zurückzuführen, daß etliche Vor-Entwicklungen in ihm zusammenflossen und selbst die kurze Phase seiner vollen Entfaltung von auseinanderstrebenden Tendenzen gekennzeichnet war. So hatte beispielsweise der Symbo-

1 Maurice Vlaminck, Die Brücke von Chatou, 1907

lismus Moreaus für Matisse und Marquet als erste schöpferische
Orientierung gedient, während Vlaminck vom gängigen Prä-
Expressionismus damaliger Zeitschriften-Illustrationen inspiriert
wurde und Kees van Dongen aus der Richtung Toulouse-
Lautrecs kam. Und als der Höhepunkt des Fauvismus, der in die
Zeit von 1905 bis 1907 zu datieren ist, noch nicht einmal überschritten war, strebte Braque bereits dem Kubismus zu. Derain
und Friesz hielten sich an die methodischen Exempel der Malerei
Cézannes, die als ›Cézannismus‹ geläufig wurden. Und Matisse
faßte das Künftige wie folgt zusammen: »Was mir vorschwebt,
ist Gleichgewicht, Reinheit und Mäßigkeit, ohne beunruhigende
und ablenkende Gegenständlichkeit.«

Die Wirkungen der japanischen Farbholzschnitte, die insbesondere auf Gauguin und die Plakatkunst um Toulouse-
Lautrec ausgestrahlt hatten, dürfte jeder der Fauves noch ver-
spürt und selbst umgesetzt haben. Nicht zu unterschätzen ist
ferner das Vorbild Manets, der auf kompositorische Vereinfachung drängte. Die entscheidenden Anstöße zum siegreichen

Durchbruch des Fauvismus gaben allerdings drei andere Ereignisse: die praktische Verwertung der neoimpressionistischen Farbtheorie Signacs, die 1899 unter dem Titel ›D'Eugène Delacroix au Néoimpressionisme‹ veröffentlicht worden war, die aufsehenerregenden Retrospektiven van Goghs, Gauguins und Cézannes, die 1901 begannen, sowie die Berührung mit dem Exotischen, genauer: die Entdeckung der afrikanischen Plastik und damit der sogenannten ›Primitiven Kunst‹ schlechthin.

Anlaß gab Vlaminck, der 1904 an die Elfenbeinküste gereist war und von dort eine große Maske und zwei Statuetten mitbrachte. Er stellte sie in seinem Atelier auf. »Als Derain kam«, so Vlaminck, »verschlug es ihm beim Anblick der weißen Maske die Stimme. Er war hingerissen und bot mir zwanzig Francs dafür. Ich weigerte mich. Acht Tage später bot er mir fünfzig. An diesem Tage hatte ich keinen Centime und willigte ein. Er nahm die Maske mit und hing sie in seinem Atelier in der Rue Torlaque an die Wand. Als Picasso und Matisse sie bei Derain sahen, waren sie ganz ergriffen. Von diesem Tage an begann die Jagd auf Negerkunst.«

Mit ihrer flammenden Begeisterung für die bis dahin völlig verkannte Kunst der Neger haben die Fauves neben den Dresdener ›Brücke‹-Malern einen allgemeinen Sinneswandel bewirkt, der von da an nicht nur in die bildnerischen Intentionen der Künstler eindrang, sondern tief auch in die abendländische Kunstästhetik. Die jungen Maler haben damals zwar noch wenig von der Magie der afrikanischen Schnitzwerke und ihren kultischen Zwecken wissen können, doch waren sie sogleich fasziniert von den scheinbar groben Stilisierungen, die das Formgerüst so überdeutlich zutage treten ließen. Und da sie Franzosen waren, erkannten sie zugleich die dekorativen Impulse, die davon ausgingen. Historisches Verdienst der Fauves bleibt es, einen der ersten Bausteine zum künstlerischen Brückenschlag zwischen Europa und dem schwarzen Kontinent geliefert zu haben. Der andere kam – gleichzeitig, aber unabhängig – von den deutschen Expressionisten.

Entgegen einer Legende, die hauptsächlich von den Künstlern selbst verbreitet wurde, waren die Fauves von Anfang an weder unverstanden noch erfolglos. Zwischen 1902 und 1908 veranstaltete die Pariser Galerie Berthe Weill nicht weniger als vierzehn Ausstellungen mit Werken von ihnen. Der berühmte Kunsthändler Vollard zeigte allein 1904 drei Ausstellungen und schloß in den beiden Folgejahren feste Verträge mit Derain, Puy und Vlaminck. Drouet und Bernheim-Jeune, als Galeristen nicht weniger renommiert, nahmen andere Fauves unter Vertrag. Bereits seit 1901 konnten sich Matisse, Marquet und Valtat am Salon des Indépendants beteiligen, und als 1903 der Salon d'Automne eröffnet wurde, gehörten Matisse und Marquet sogar zu den Gründungsmitgliedern. Allmählich wurde der ganze Fauve-Kreis hinzugezogen. Es kann also keine Rede von Zurücksetzungen sein, wie sie den Impressionisten fast zwei Jahrzehnte zuteil geworden waren. Nicht einmal der bekannte Paukenschlag von 1905 tat den Fauves Abbruch, als nämlich der Kritiker Louis Vauxcelles, bestürzt über das schlechte Abschneiden einer konventionellen Kleinplastik inmitten der neuen Bilder, im ›Gil Blas‹ klagte, »Donatello parmi des fauves«, Donatello sei »unter die wilden Tiere« geraten. Das einzige, was von dieser öffentlichen Empörung blieb, war der Name ›Fauve‹. Die progressiven Künstler haben ihn bald mit Stolz getragen.

Überragende und disziplinierende Kerngestalt des Fauvismus war Matisse. 1908 gab er dem Drängen zahlreicher junger Maler nach und gründete ein eigenes Lehrinstitut, die ›Académie Matisse‹. Seine Schülerschaft bestand fast durchweg aus Ausländern. Unter ihnen befanden sich die beiden Schweden Isaac Grünewald und seine Frau Sigrid Hjerten-Grünewald, die später in enge Beziehung zum Berliner ›Sturm‹-Kreis traten und nach dem Fauvismus dann auch den Expressionismus in ihre Heimat holten, sowie der Amerikaner Max Weber, der noch den Kubismus mitnahm, ehe er Paris in Richtung New York verließ. Die zahlenmäßig stärkste Ausländergruppe an der Académie Matisse bildeten die Deutschen, zu denen Hans Purrmann, Rudolf Levy, Oskar und Marg Moll, Friedrich Ahlers-Hestermann und Franz Nölken gehörten. Sie waren zugleich die engagiertesten Anhänger der neuen Kunstlehre und formierten sich zu einer regelrechten deutschen Matisse-Schule. In die Kunst ihrer Heimat trugen sie subtile Farbigkeit und sattes mittelmeerisches Licht. Eine anhaltende Resonanz allerdings war nur Purrmann beschieden (Abb. 57). Als Einzelgänger, der nicht zur deutschen Matisse-Gruppe zählte, ist noch der Rheinländer Heinrich Nauen zu erwähnen, ein Fauvist auf Zeit. 1911 schloß Matisse seine Akademie. Der Fauvismus als Experiment klang aus.

Expressionismus

Der Expressionismus ist der bedeutendste Beitrag, den deutsche Künstler bisher zur Malerei des 20. Jahrhunderts geleistet haben. Seine Erscheinungsformen sind mannigfaltig und vielgestaltig, mehr noch als die des Fauvismus. Auch lassen sie sich keineswegs als Teile einer übergreifenden stilistischen Konzeption verstehen. Im Gegensatz zum Fauvismus aber blieb der Expressionismus nicht auf den bildkünstlerischen Bereich beschränkt. Vielmehr fand er seinen Niederschlag sowohl in Malerei und Plastik als auch in Architektur, Literatur, Musik, Theater und Film. Durchaus charakteristisch sind die zahlreichen Doppelbegabungen und Doppelneigungen, beispielsweise als Maler und Dichter (Oskar Kokoschka, Ludwig Meidner, Else Lasker-Schüler), als Bildhauer und Dramatiker (Ernst Barlach), als Maler und Szeniker (Lothar Schreyer) oder als Komponist und Maler (Arnold Schönberg).

Der Expressionismus war mehr als eine aufs Künstlerische begrenzte Rebellion. Er war der leidenschaftliche Aufbruch der jungen Generation zwischen der Jahrhundertwende und dem Ende des Ersten Weltkriegs. Sein geistes- und kulturgeschichtlicher Rang ist dem des ›Sturm und Drang‹ der Aufklärungszeit ebenbürtig, ja, er reicht, was die Pluralität des Engagements betrifft, darüber hinaus.

Als Begriff war der ›Expressionismus‹ schon im ersten Jahrzehnt bekannt. Auf die Bildende Kunst dürfte er erstmals 1910 angewandt worden sein, als Aby Warburg in einer Kritik, die in der Zeitschrift ›Kunst und Künstler‹ erschien, die neuen Wandbilder des Hamburger Rathauses »expressionistisch« nannte.

Allerdings hat man die Bezeichnung nicht sofort im engeren stilkritischen Sinne benutzt. So wies Lovis Corinth in seiner Eröffnungsansprache zur XXII. Ausstellung der Berliner Secession im April 1911 auf »die Franzosen der neuesten Richtung, Expressionisten genannt« hin, womit er die Fauvisten und auch Picasso meinte, während Herwarth Walden, Herausgeber des ›Sturm‹, unter dem neuen Begriff alle fortschrittlichen Kunstrichtungen in Deutschland wie im Ausland verstanden wissen wollte. Derselben Definition bediente sich schließlich noch das Vorwort des Kataloges zur Kölner ›Sonderbund-Ausstellung‹ vom Sommer 1912, in dem es hieß, man wolle »einen Überblick über den Stand der jüngsten Bewegung in der Malerei geben, die nach dem atmosphärischen Naturalismus und dem Impressionismus aufgetreten ist und nach einer Vereinfachung und Steigerung der Ausdrucksformen, einer neuen Rhythmik und Farbigkeit, nach dekorativer oder monumentaler Gestaltung strebt, einen Überblick über jene Bewegung, die man als Expressionismus bezeichnet hat«.

Expressionismus war die Antwort der Künstler auf die bedrohlich gewordene Materialisierung und Reglementierung des Lebens. Mit kreativem Zorn reagierten sie auf die wachsenden Gefährdungen, die sich aus den sozialen Spannungen, kulturellen Konflikten und psychologischen Belastungen ergaben, welche gerade in Deutschland festzustellen waren: Folgen des raschen Übergangs vom bäuerlichen zum städtischen Leben, von der handwerklichen zur industriellen Produktion und vom partikular- zum zentralstaatlichen System. Voller Emotion wehrte man sich gegen den gängelnden Obrigkeitsanspruch des wilhelminischen Staates, aber auch gegen die als tragisch empfundene Autoritätsgläubigkeit der meisten seiner Bürger. Man wollte die Welt verbessern und dachte deshalb von Anfang an zugleich politisch, wenngleich nicht im parteigebundenen Sinne. »In unserer Epoche des großen Kampfes um die neue Kunst streiten wir als ›Wilde‹, nicht als Organisierte gegen eine alte organisierte Macht. Der Kampf scheint ungleich; aber in geistigen Dingen siegt nie die Zahl, sondern die Stärke der Ideen. Die gefürchteten Waffen der ›Wilden‹ sind ihre neuen Gedanken; sie töten besser als Stahl und brechen, was für unzerbrechlich galt«, so Franz Marc im Almanach ›Der Blaue Reiter‹.

Expressionismus war die Empörung des Gefühls gegen den kalten Mechanismus, der begonnen hatte, den Alltag zu bestimmen. Als erste Kunstrichtung nahm er sich entschieden auch der gesellschaftlich Benachteiligten, der Ausgestoßenen, Rechtlosen, Kranken und Hilfebedürftigen an, nachdem die literarischen Bemühungen des Naturalismus verebbt waren. Das alles geschah mit einem missionarischen Eifer, der an die Glaubenskämpfer und großen Humanisten des ausgehenden Mittelalters denken ließ. Und so war es kein Zufall, daß sich die Expressionisten auch jenes künstlerischen Ausdrucksmittels bedienten, das einst als politische Waffe seine Schärfe gezeigt hatte: des Holzschnitts.

Die Expressionisten wollten die Künstlichkeit beseite räumen, die sich ihrer Meinung nach im Laufe der Jahrhunderte zwischen Kunst und Wirklichkeit aufgetürmt hatte. Ständig waren sie auf der Suche nach der Realität des Daseins, mochte sich diese auch noch so kahl, schmerzhaft und erschreckend zeigen. Unter dem Schutt des zivilisatorischen Fortschritts forschten sie nach den Quellgründen menschlicher Existenz, und sie entdeckten diese, wie gleichzeitig die Fauves, bei den Naturvölkern und deren schöpferischen Zeugnissen. Während aber die französischen Maler (später auch Picasso) vorwiegend die stilisierend-dekorativen Elemente von der sogenannten Primitiven übernahmen, richteten die Deutschen, unter ihnen vor allem die Dresdener ›Brücke‹-Meister, ihre Aufmerksamkeit auf den spirituellen Gehalt der Werke, auf Ursprünglichkeit und unverbrauchte Ausdruckskraft, auf die gleichsam archaische Qualität. Schließlich verstanden sie sich in der Übernahme eines Wortes von Cézanne selbst als »Primitive einer neuen Kunst«.

Expressionismus heißt Steigerung des Ausdrucks mit allen Mitteln. Folglich wurden Formen überdehnt, zugespitzt, aufgesplittert, zerlegt, gespalten und deformiert, um in einer neuen, nunmehr nicht ›natürlichen‹ Ordnung die größtmögliche Intensität zu gewinnen. Und die Farben halfen dabei, indem sie sich, erregter noch als bei den Fauves, in wahren Strömen brennend, verzehrend oder mystisch-symbolhaft leuchtend über die Lein-

2   Erich Heckel, Zwei Männer am Tisch (An Dostojewski), 1912

wand ergossen. ›Einfühlung‹ hieß das Schlagwort, das die Runde machte und einen höheren Rang gewann als das pure Wissen um die Dinge. Denn nur auf diesem Wege, so glaubten die Expressionisten, konnten sie hinter die Masken und Verstellungen dringen, tiefste Empfindungen wahrnehmen und sich »pantheistisch einfühlen in das Zittern und Rinnen des Blutes in der Natur, in den Bäumen, in den Tieren, in der Luft«, wie Franz Marc es wollte.

Die Expressionisten entwickelten aus dem Chaotischen, das notwendigerweise den Anfang ihres emotionalen Aufruhrs bestimmte, allmählich eine eigene Ethik. In deren Mittelpunkt stand, nach der Deutung des Dichters Kasimir Edschmid, der künstlerisch tätige Mensch, dem »das Dasein als eine große Vision« erschien, der »ein neues Weltbild« schuf und alles »in Beziehung zur Ewigkeit« setzte.

Der erste Schock, den die Bilder der Expressionisten in der Öffentlichkeit auslösten, war groß. Er gipfelte in grotesken und zügellosen, teilweise ungemein ordinären Beschimpfungen. Würde solches heutigen Künstlern gegenüber wiederholt, wären handfeste Beleidigungsklagen die Folge. Auf der anderen Seite aber mangelte es auch nicht an ermutigender Anerkennung durch couragierte Museumsleute und Kunsthistoriker sowie durch private Sammler, deren Schar sich rasch vergrößerte. Sie haben wesentlich dazu beigetragen, daß auch in Deutschland der Wandel vom konservativen zum modernen Kunstsehen beginnen konnte.

Die Nachwirkungen des Expressionismus blieben bis um die Jahrhundertwende spürbar, vor allem bei den Initiatoren selbst. Zu einer geschlossenen Spätentwicklung des Stils kam es allerdings nicht. Die Bildmittel der Expressionisten zerstreuten sich vielmehr in verschiedene Richtungen. Sie gelangten zu einigen Spielarten des Realismus, zur figuralen Kunst im allgemeinen und flossen in die große Strömung der expressiven Abstraktion.

Die ›Brücke‹

1905 schlossen sich in Dresden die Architekturstudenten Ernst Ludwig Kirchner (Ft. 2), Karl Schmidt-Rottluff (Abb. 3), Erich Heckel (Abb. 2) und Fritz Bleyl zu einer Künstlergemeinschaft zusammen, der sie den Namen ›Brücke‹ gaben. Ihre Absicht war, Tradition und Akademismus zu überwinden und »alle revolutionären und gärenden Kräfte an sich zu ziehen«, wie Schmidt-Rottluff ein Jahr später an Emil Nolde schrieb, um ihn für eine Beteiligung zu gewinnen, was für kurze Zeit auch gelang. ›Brücke‹ bedeutete also Kontaktnahme nicht nur mit gleichgesinnten Künstlern, sondern auch mit Kunstfreunden und vor allem Förderern, deren man aus finanziellen Gründen bedurfte. Sie konnten passive Mitglieder werden. Gemeinsamer Nenner war die Verachtung bürgerlicher Wert- und Moralvorstellungen

3   Karl Schmidt-Rottluff, Selbstbildnis mit Einglas, 1910

sowie ein außerordentlicher kreativer Optimismus. Kirchner,
treibende Kraft der Gruppe, formulierte es im 1906 entstandenen
Programm so: »Mit dem Glauben an Entwicklung, an eine neue
Generation der Schaffenden wie der Genießenden, rufen wir alle
Jugend zusammen, und als Jugend, die die Zukunft trägt, wollen wir uns Arm- und Lebensfreiheit verschaffen gegenüber den
wohlangesessenen älteren Kräften. Jeder gehört zu uns, der un-

mittelbar und unverfälscht das wiedergibt, was ihn zum Schaffen drängt.«

Keines der Gründungsmitglieder der Gemeinschaft hatte Malerei oder Grafik studiert. Um so größer waren Fleiß und Begeisterung der Autodidakten, Versäumtes nachzuholen. Man orientierte sich in deutschen und ausländischen Kunstzeitschriften, die bereits verwertbare Reproduktionen enthielten, man malte und zeichnete nach der Natur, Akte eingeschlossen, und man machte sich mit den Techniken von Holzschnitt, Radierung und Lithografie vertraut. Vor allem aber: man tat alles gemeinsam. Die jungen Leute, damals zwischen 21 und 25 Jahre alt, lernten zusammen, arbeiteten im selben Raum (den Heckel für zehn Mark Monatsmiete in einem leeren Metzgerladen gefunden hatte), sie teilten sich in Malmaterial und Modelle, sie veranstalteten gemeinsam ihre Ausstellungen (bis zum Ende der ›Brücke‹ mehr als vierzig), und sie gaben gemeinsam Publikationen heraus, darunter von 1906 bis 1912 die Jahresmappen für die Mitglieder, die heute zu den Raritäten auf dem Kunstmarkt zählen.

Die »Aristokraten des Geistes«, wie sich die ›Brücke‹-Maler im, selbstverständlich gemeinsam geführten, Tagebuch nannten, betrachteten ihren Bund als eine Bauhütte im mittelalterlichen Sinne. Dabei ging die Identifikation der einzelnen in der ersten Zeit so weit, daß man ihre Werke manchmal kaum unterscheiden konnte. Nicht Uniformität des künstlerischen Ausdrucks allerdings war das Ziel, sondern das Aufspüren von Quellen starken schöpferischen Erlebens, verbunden mit einem immer tieferen Eindringen in die Seinsgeheimnisse, die mystisch begriffen wurden.

Anfangs noch weitgehend Symbolismus und Jugendstil verpflichtet, wandten sich die Maler, zu denen inzwischen noch Max Pechstein gestoßen war, bald Gauguin und insbesondere Munch zu, dessen schwingend-ekstatischer Stil sie ebenso beeindruckte wie seine menschlich-zeitlose Thematik von Liebe und Haß, Leben und Tod. »Immer war mein Ziel: einfache große Formen und klare Farben, mit diesen beiden Mitteln das Empfinden geben, das Erlebnis«, resümierte Kirchner. »Geben wollte ich den Reichtum, die Freude des Lebens, wollte die Menschen malen in

4   Otto Mueller, Zigeunerfamilie (Polnische Familie), 1912

ihrer Tätigkeit, in ihren Festen, in ihren Empfindungen zueinander und miteinander. Die Liebe gestalten wie den Haß.«

Was Gauguin für die ›Brücke‹-Künstler so wichtig werden ließ, war nächst der bewegten Geschlossenheit seiner Formen, dem symbolhaften Fließen seiner Linien und der dunklen Intensität seiner Farben, die von ihm praktizierte Synthese aus Mensch und Natur. Die Erinnerungen an Gauguins Südseeaufenthalte führte bei den Dresdenern zu einer richtiggehenden kultischen Verehrung der einfachen, unverfälschten Lebensweise. Nolde und Pechstein trieb es 1913 und 1914 sogar zu eigenen Reisen nach Neuguinea und zu den Palau-Inseln, während Otto Mueller, 1910 zur ›Brücke‹ gestoßen, die Schönheit des Fremdartigen in seinen Zigeunermotiven fand (Abb. 4).

Lineare und rhythmische Ausdruckselemente bestimmen die Konzeption der ›Brücke‹-Bilder bis etwa 1909. Dann traten van Gogh und Cézanne enger in den Gesichtskreis der deutschen Maler. Beide bewirkten den endgültigen Durchbruch zum spezifischen ›Brücke‹-Stil, dessen schroffe Form- und Farb-Expressionen mit ihren absichtsvollen Dissonanzen zu Bildharmonien ganz neuer Art geführt haben. Unauslöschliche Spuren hinterließen insbesondere die Formverwandlungen van Goghs und seine Stimmungswiedergabe durch Lokalfarben, aber auch die Ekstatik und die lodernde Leidenschaftlichkeit seiner Gefühle. Die Nähe der Deutschen zu dem Holländer ergab sich nicht zuletzt dadurch, daß das von ihm so gepriesene Ideal einer echten Künstlergemeinschaft von der ›Brücke‹ postum bestätigt werden konnte.

Unübersehbar sind zwischen 1909 und 1911 die Übereinstimmungen zwischen den ›Brücke‹-Bildern und der Fauve-Malerei. Das läßt sich freilich nur bedingt auf die wechselseitige Werkkenntnis zurückführen. Ausschlaggebend war vielmehr die Wahl der gleichen Vorbilder. Pechstein, der ›eingängigste‹ unter den Dresdenern, hat den Fauves übrigens am nächsten gestanden, während in Paris Vlaminck, dessen Vorfahren aus Flandern stammten, umgekehrt am meisten expressionistisch arbeitete.

Die Malerei der ›Brücke‹ wäre insgesamt undenkbar ohne die sie begleitende Grafik, in deren Bereich manches erprobt wurde, was später erst seine Umsetzung auf die Leinwand fand. Besonders geeignet hierfür war der Holzschnitt. Mit seinen material-immanenten Vergröberungen, Versperrungen und Härten, aber auch mit seinen festen Flächen, die jegliche Raumillusion gleich-sam von Natur aus zurückdrängen, kam der Holzschnitt der Absicht der Ausdruckssteigerung sehr entgegen. Und so ist es kein Zufall, daß eine der wesentlichsten Entdeckungen, die Kirchner 1904, also bereits ein Jahr vor Gründung der ›Brücke‹, im Dres-dener Völkerkundemuseum gemacht hatte, nämlich die Kunst Afrikas und der Südsee, ihre erste und dauerhafteste künstleri-sche Antwort im Holzschnitt fand. Das Holzschnittmäßige hat allen expressionistischen Bildfiguren den angespannten Dynamis-mus gegeben und in den Gesichtern jenen verschlossenen, oft un-bestimmten und sogar maskenhaften Ausdruck verstärkt, der dann den Typus der ›Brücke‹-Kunst bestimmte.

1911 siedelten alle ›Brücke‹-Maler, Pechstein folgend, nach Berlin über. In der Begegnung mit dem pulsierenden Großstadt-leben und seiner geistigen Wachheit, aber auch mit seinen sozia-len Widersprüchen und den sich radikal konfrontierenden Ideo-logien nahmen die Bilder Kirchners eine nervöse Gespanntheit an, während Heckel seinen Lyrismus vertiefte und Schmidt-Rottluff die Naturdarstellungen gewissermaßen als Gegenge-wichte schuf. Merklich entwickelten sich die Künstler später in verschiedene Richtungen. Und als es 1913 dann zu Meinungs-verschiedenheiten über die von Kirchner verfaßte ›Chronik der Brücke‹ kam, wurde die Künstlergemeinschaft aufgelöst. Be-freundet aber blieb man sein Leben lang.

Neue Künstlervereinigung und ›Der Blaue Reiter‹

Der auf München und seine nähere Umgebung konzentrierte süddeutsche Expressionismus kannte weder die stilistische Ge-schlossenheit noch die feste Organisationsform der ›Brücke‹. Er entwickelte sich aus der wechselseitigen Annäherung verschiede-ner Talente und Temperamente, die von verwandten geistigen Voraussetzungen ausgingen und ähnlichen Zielen zustrebten, ohne indes gleicher Herkunft zu sein. Vom Ursprung her hatte

5   Alexej Jawlensky, Blaue Kappe, 1912

der süddeutsche Expressionismus vielmehr einen gewissen internationalen Charakter. Zurückzuführen ist das wesentlich auf die
große, weit über Deutschland hinausreichende Bedeutung, die

Bayerns Hauptstadt in den letzten Dezennien des 19. Jahrhunderts als Kunstmetropole erlangt hatte. München zog prominente Maler und Bildhauer an. Seine Museen lockten ein noch größeres Publikum. Es gab tätige Künstlergruppen und die vielgerühmten Schwabinger Künstlerfeste, ein Kunstleben also, das den Vergleich mit dem Montmartre von Paris und seiner Bohème nicht zu scheuen brauchte. Und man hatte neben der offiziellen Akademie und der Kunstgewerbeschule eine Reihe privater Kunstschulen, die zwar auch nichts Fortschrittliches lehrten, aber dennoch vom Ruf Münchens profitierten. So kamen deutsche wie ausländische Studenten zuhauf.

Zu ihnen gehörten 1896 zwei junge Russen, die während des folgenden Jahres fast gleichzeitig in die Kunstschule des Anton Azbé eintraten, ohne einander vorher je gesehen oder gar gekannt zu haben: Wassily Kandinsky (Ft. 11) und Alexej Jawlensky (Abb. 5). Um die Jahrhundertwende machten sie sich selbständig. Wichtiger aber war: beide blieben in München bzw. sie kehrten immer wieder dorthin zurück.

1901 gründete Kandinsky die Künstlergruppe ›Phalanx‹, 1902 eine eigene Kunstschule. Der Erfolg blieb beiden Unternehmungen versagt, doch ließen sich die angeknüpften Beziehungen weiter ausbauen. Kandinsky gehörte bald zu den bekanntesten jungen Malern Münchens, nicht zuletzt wegen der Anerkennung, die er inzwischen auch im Ausland, vor allem in Paris, gefunden hatte. Unter dem Eindruck der dörflichen Abgeschiedenheit von Murnau, wo er sich niedergelassen hatte, in Erinnerung aber auch an die lebhafte Volkskunst seiner Heimat ließ Kandinsky die jugendstilhafte Romantik rasch hinter sich, der er bis dahin gehuldigt hatte. Seine Bilder leuchteten in ländlicher Festlichkeit auf und drängten mit der Überfülle ihrer farbigen Klänge in eine expressive Richtung. Entscheidendes Ergebnis war, daß ihm die konservative Münchener Sezession die Teilnahme an ihren Ausstellungen verweigerte. Daraufhin schloß sich Kandinsky 1909 mit Jawlensky und anderen Künstlern, die man in gleicher Weise zurückgewiesen hatte, zur ›Neuen Künstlervereinigung‹ zusammen. Zu den Gründungsmitgliedern gehörten Marianne von Werefkin, die einst mit Jawlensky nach Deutschland gekommen war, Gabriele Münter, Alfred Kubin, Adolf Erbslöh und Alexander Kanoldt. Die erste Ausstellung der Vereinigung fand im Dezember desselben Jahres in der Münchener Galerie Thannhauser statt; die zweite folgte im September 1910. Sie bezog fauvistische und frühe kubistische Werke ein und bewog Franz Marc und August Macke zum Beitritt.

Dauerhafte Zusammenarbeit schien sich anzubahnen, vor allem gemeinsames Auftreten vor der Öffentlichkeit. Doch da kam es bei der Jurierung zur dritten Ausstellung, im Herbst 1911, zum internen Eklat. Der Streit entzündete sich an den Bildern Kandinskys, die sich immer stärker vom gegenständlichen Bezug lösten. Damit waren vor allem Kanoldt und Erbslöh nicht einverstanden. Abstrakte Kompositionen widersprachen ihren eigenen Intentionen. Und so spaltete sich die Vereinigung, die immerhin einiges Aufsehen bewirkt hatte.

Kandinsky und Marc gründeten sogleich eine neue Gemeinschaft, die sie ›Der Blaue Reiter‹ nannten. »Den Namen ›Der Blaue Reiter‹ erfanden wir am Kaffeetisch in der Gartenlaube in Sindelsdorf (wo Marc wohnte)«, sagte Kandinsky später. »Beide liebten wir Blau, Marc – Pferde, ich – Reiter. So kam der Name von selbst.« Allerdings war er zunächst nur als Titel eines Almanachs gedacht gewesen, der, so Marc, »das Organ aller neuen echten Ideen unserer Tage werden soll«. Man erhoffte sich »soviel Heilsames und Anregendes davon, auch direkt für die eigene Arbeit, zur Klärung der Ideen, daß er unser ganzer Traum geworden ist«. (Ft. 3) Tatsächlich erschien der Almanach 1912. Neben Kandinskys theoretischer Abhandlung ›Über das Geistige in der Kunst‹, die zur selben Zeit herauskam, gehört er zu den klügsten programmatischen Veröffentlichungen, die je im Zeichen des Expressionismus erschienen sind.

Die meisten Mitstreiter der alten Künstlervereinigung schlossen sich umgehend der ›Redaktion des Blauen Reiters‹ an, wie sich die Interessengemeinschaft offiziell nannte. Die denkwürdige erste Ausstellung konnte noch im Dezember 1911, wiederum bei Thannhauser, stattfinden. Auf Einladung beteiligten sich auch der Rheinländer Campendonk, der bei der Gruppe blieb, Delaunay aus Paris, die beiden Russen David und Wladimir Burljuk sowie der Maler-Komponist Arnold Schönberg, der in den expressionistischen Bildern einen Widerhall seiner eigenen atonalen Musik fand. Daß schließlich sogar Henri Rousseau, der Vater der naiven europäischen Malerei, mit Werken aus seinem Nachlaß präsent sein konnte, erklärt sich aus der Vorliebe der jungen Münchener für die oberbayerische Volkskunst und Hinterglasmalerei. Sie stand ihnen als abendländisches Phänomen näher als die Kunst der außereuropäischen Primitiven. Die ›Zweite Ausstellung der Redaktion ›Der Blaue Reiter‹ fand im März 1912 in der Kunsthandlung Goltz statt und beschränkte sich auf Aquarelle, Zeichnungen und Druckgrafik. An ihr nahm auch Paul Klee teil. Feininger kam 1913.

Von kollektivem Stil konnte unter solchen personellen Voraussetzungen sicher nicht gesprochen werden. Jeder Maler war vielmehr darauf bedacht, seine schöpferische Eigenart zu wahren, allerdings auch bereit, sie anderen zuzubilligen. Trotzdem lassen sich gemeinsame Merkmale feststellen. Sie zeigen sich in einer philosophischen Neigung und verstandesmäßigen Orientierung, wie sie weder in Dresden noch später in Berlin zu finden war. Das bedeutete im einzelnen: Hineinversetzen in die Geheimnisse der Natur statt Demaskierung; vollkommene Entmaterialisierung und Überwindung des Stofflichen statt Festhalten am Dinglichen wie bei der ›Brücke‹; Entdeckung des eigenen Ichs statt Weckung sozialen Mitgefühls. Dazu wählten die Münchener Farbharmonien statt Farbdissonanzen, wobei sie den Blautönen vor den Braunwerten der ›Brücke‹ den Vorzug gaben; und sie zergliederten und analysierten die Formen statt sie zu sprengen. Von hier aus führte der Weg, durch Kandinsky vorgezeichnet, zwangsläufig zur Abstraktion (Ft. 11).

Expressionismus im Rheinland

Das Rheinland, Schmelztiegel ungezählter Völkerschaften, Weltanschauungen, Lebensarten und Kunsttraditionen, war Schauplatz einer expressionistischen Entwicklung, die sich weniger durch bildnerische Einstimmigkeit auszeichnete als durch progressives Engagement. Sie setzte, gegenüber Dresden und München leicht verspätet, mit Beginn des zweiten Jahrzehnts ein und konzentrierte sich im wesentlichen auf Bonn und Köln, die man »als Vororte von Paris, Wien und Rom betrachtete«, wie Karl Otten, Dichter im Malerkreis der rheinischen Expressionisten, mitgeteilt hat. Man hielt Kontakt zu allen wichtigen Kunstzentren: zu München, wo August Macke aus Bonn (Ft. 4) und Heinrich Campendonk aus Krefeld (Abb. 6) persönlich an dem kurzen, aber erfolgreichen Sturmlauf des ›Blauen Reiters‹ teilnahmen, zu Berlin, wo sich intensive Gespräche etwa mit Kirchner und Heckel ergaben, insbesondere aber zu Paris, das beim Erkunden neuen künstlerischen Terrain die Spitze hielt, und wo man über den Kubismus hinaus bereits zum Orphismus vorgestoßen war. Das ausgesprochen ›französische Klima‹ in den Bildern der rheinischen Expressionisten, vor allem Mackes, war allerdings nicht nur das Ergebnis eines aktuell aufgebrochenen, stilbezogenen Interesses, sondern lange schon angelegt im Empfinden wie in der Sehweise der Maler vom Rhein. Sie tendierten seit eh und je zum Westen. Nur waren sie in früheren Jahrhunderten dem Vorbild der Niederländer gefolgt.

In Bonn machte August Macke seinen Freund Hans Thuar sowie Paul Adolf Seehaus mit dem koloristischen Vokabular des Expressionismus bekannt, während Heinrich Nauen, stark noch dem Fauvismus zugeneigt, immer wieder aus Krefeld herüberkam. Auch Helmuth Macke, seinem Vetter August menschlich und Franz Marc künstlerisch eng verbunden, gehörte zu dieser Runde.

Im benachbarten Köln gab es zwar keinen nennenswerten Künstlerkreis, dafür jedoch ein traditionsreiches Schau- und Informationsbedürfnis. Diesem kam im Sommer 1912 eine Ausstellung entgegen, die man inzwischen zu den weit herausragenden Kunstereignissen des ganzen Jahrhunderts zählt: die zweite ›Sonderbund-Ausstellung‹ (die erste, provinziell orientiert und vergleichsweise resonanzlos, hatte 1910 in Düsseldorf stattgefunden). Anhand von 634 Gemälden, Plastiken und Handzeichnungen bot die Kölner Ausstellung zum ersten Male einen Rückblick auf die tragenden und treibenden Kräfte seit dem Impres-

6 Heinrich Campendonk, Bukolische Landschaft, 1913

sionismus, und erstmals auch ließ sie eine moderne Kunstszene sichtbar werden, die sich nicht nur auf Europa beschränkte. Diese internationale Präsentation, dem Prinzip der Kasseler ›documenta‹ unserer Tage verwandt, hatte eine heute kaum mehr vorstellbare Wirkung weit über Köln und Deutschland hinaus. Sie gab u. a. auch den Anstoß zur ersten amerikanischen Großausstellung moderner Kunst, der nicht minder berühmt gewordenen ›Armory-Show‹, die im Frühjahr 1913 in New York stattfand und mehr als 1500 Exponate, darunter ein Drittel europäische, umfaßte.

Die Folgen der ›Sonderbund-Ausstellung‹ zeigten sich am unmittelbarsten natürlich bei den jungen Rheinländern. Sie wurden verstärkt durch die erste Futuristen-Ausstellung, die noch im Herbst 1912 Köln erreichte. August Macke nahm die luzide Farbchromatik Robert Delaunays in seine Bilder auf (vgl. Ft. 4 und 9) und durchsetzte diese zugleich mit Abwandlungen der spannungsvollen Rhythmik der Italiener. Campendonk nutzte dieselben Impulse zur Ausbildung seines lyrisch-märchenhaften Stils, wobei er die Motive in der Art der volkstümlichen Hinterglasmalerei Oberbayerns einbrachte (Abb. 6). Und Max Ernst schließlich, der sich gerade in der Kunst zu orientieren begann, lenkte seine ersten kreativen Schritte nach Ausstellungs- und Freundes-Vorbild auch in expressionistische Richtung.

Aktivster Organisator unter den rheinischen Künstlern ist damals August Macke gewesen. Auf sein Betreiben wurde 1913 in Bonn die Künstlergruppe ›Das junge Rheinland‹ gegründet, zu der neben Macke selbst Paul Adolf Seehaus, Campendonk und Nauen gehörten. »Wir waren von Heroismus erfüllt«, bekannte Max Ernst später einmal. »Unbefangenheit war das erste Gebot. Wir hatten keine Doktrin, keine Disziplin, keine zu erfüllenden Pflichten. Uns verband der Durst nach Leben, Poesie, Freiheit, nach dem Absoluten, nach Wissen.« Treffpunkt der Gruppe war die Buchhandlung Cohen neben der Bonner Universität, an welcher im übrigen gerade Wilhelm Worringer lehrte, dem Expressionismus und moderne Kunst ganz allgemein so viel hellsichtige wissenschaftliche Unterstützung verdanken. Im Kunstsalon der Buchhandlung veranstaltete Macke im Juli und August 1913 die erste (und letzte) ›Ausstellung Rheinischer Expressionisten‹, an der sich neben den Gruppenmitgliedern auch Helmuth Macke, Carlo Mense und F. M. Jansen beteiligten. Ein Jahr danach zerstörte der Erste Weltkrieg, was sich aus den Ansätzen, insbesondere bei Macke, hätte entfalten können.

Expressionismus in Norddeutschland

Chronologisch gesehen setzte der norddeutsche Expressionismus bereits vor den Entwicklungen in Mittel-, Süd- und Westdeutschland ein, doch hat er sich nicht stilbildend auswirken können, da es ihm sowohl an einer geographischen Konzentration als auch an innerem künstlerischen Zusammenhang fehlte. Die Maler, die sein Erscheinungsbild bestimmten, lebten verstreut zwischen Westfalen und dem Schleswigschen, und sie traten auch zu unterschiedlichen Zeitpunkten mit kaum vereinbaren individuellen Tendenzen auf den Plan. Das einzige, was sie verband, war ihre außerordentlich starke Beziehung zur

7   Paula Modersohn-Becker, Worpsweder Landschaft, o. J.

herben Schönheit der niederdeutschen Landschaft sowie zu deren Beseelungen, Mythen und Menschen.

Paula Modersohn-Becker starb 1907, gerade 31 Jahre alt, noch ehe der Expressionismus in Deutschland überhaupt erste Kontur gewonnen hatte. Die tragisch kurze Zeit, die ihr zum Schaffen blieb, hat jedoch genügt, sie zur eigentlichen Repräsentantin des deutschen Frühexpressionismus werden zu lassen. Ihre schöpferische Heimat wurde Worpswede in der Nähe Bremens (Abb. 7), wo eine seit 1890 bestehende Künstlerkolonie die Rückkehr der Malerei zur Natur nicht nur proklamierte, sondern auch in die Tat umsetzte. »Fort mit den Akademien, die Natur ist unsere Lehrerin und danach müssen wir handeln«, hatte Otto Modersohn, den Paula Becker 1900 heiratete, schon elf Jahre vorher gefordert. Aber erst sie war es, die unter dem Eindruck Cézannes, van Goghs und Gauguins von der stofflichen, anekdotischen Wiedergabe der Realität zu symbolträchtigen, empfindungsreichen und gefühlsbetonten Darstellungen von Menschen und Landschaften kam, wobei ihr auch die orientalische Kunst, vor allem die persischen Miniaturen, bei den angestrebten Formvereinfachungen und flächigen Farbesetzungen hilfreich wurden.

Christian Rohlfs, 1849 in Holstein geboren, war der weitaus älteste unter allen Expressionisten und fand auch erst im sechsten Lebensjahrzehnt Anschluß an die moderne Entwicklung. Seine in Flammenschriften aufgelösten Architekturen und Naturbilder, die mehr und mehr an Durchsichtigkeit und lyrischer Bewegtheit zunahmen, gehören zum Eigenwilligsten, was im Bereich des Expressionismus überhaupt geschaffen wurde (Abb. 8).

Emil Nolde, aus Nordschleswig stammend, sammelte seine ersten Erfahrungen im ›Dachauer Moos‹, dem süddeutschen Pendant zur Worpsweder Künstlerkolonie. Wie kein anderer war er auf mystische Weise der Erde verbunden, der Landschaft in ihrer unendlichen Weite, den reifenden Feldern und den üppig blühenden Gärten, über denen Wolken phantastische Naturschauspiele inszenierten (Ft. 6). Noldes Zuneigung galt den herben norddeutschen Bauern, und er bevölkerte die Malerei

8   Christian Rohlfs, Altes Haus in Dinkelsbühl, 1921

des Expressionismus mit Dämonen, Trollen und Urweltwesen. Daß die malerische Kraft bisweilen hinter dem pathetischen Anspruch zurückblieb, mag leicht wiegen. Schwerer wiegt die Tatsache, daß Nolde die Verführungen des Nazismus nicht durchschaute. So ist ein Schatten über seinem Werk geblieben.

Berlin und der ›Sturm-Expressionismus‹

Neben Paris, Dresden und München entwickelte sich Berlin zu einem der vier wichtigsten europäischen Kunstzentren der Vorweltkriegszeit. Seine Anziehungskraft wuchs, je reger sich das kulturelle und geistige Leben in der 1871 zur Reichshauptstadt erhobenen Preußenmetropole entfaltete. Den Auftakt zur Moderne hin gab Edvard Munch, der mit seiner Ausstellung im

Herbst 1892 wahre Wogen konservativer Empörung auslöste. Präsentationen anderer Künstler folgten, Kunstzeitschriften mit Blickrichtung auf Progressives begannen zu erscheinen, und Hugo von Tschudi, 1896 zum Direktor der Nationalgalerie ernannt, setzte sich tapfer gegen Widerstände von oben und außen für das aktuelle Kunstschaffen ein. 1901 zeigte Bruno Cassirer die erste Berliner Cézanne-Ausstellung, und noch im selben Jahr dekretierte Kaiser Wilhelm II.: »Eine Kunst, die sich über die von Mir bezeichneten Gesetze und Schranken hinwegsetzt, ist keine Kunst mehr.« 1905 veranstaltete der im Vorjahr gegründete Deutsche Künstlerbund seine erste Ausstellung in Berlin, und von 1907 an hielten Fauvismus, Expressionismus sowie andere moderne Tendenzen Einzug in die zunehmende Zahl privater Galerien. 1910 bildete sich aus Protest gegen ihre restaurativ gewordene Vorgängerin die ›Neue Secession‹, ein Jahr danach die ›Erste Juryfreie Kunstausstellung‹.

Die entscheidende Wende zur internationalen Avantgarde vollzog sich allerdings erst mit der Gründung der Galerie ›Der Sturm‹ durch Herwarth Walden. Der Kunstenthusiast und notorische Fortschrittsoptimist gliederte sie im Frühjahr 1912 der Redaktion seiner gleichnamigen, schon seit 1910 erscheinenden Zeitschrift an, »um den von Publikum und Kritik geächteten Künstlern eine Ausstellungsmöglichkeit zu verschaffen«. Die Eröffnungsschau im März 1912 bestritten Künstler und Freunde des ›Blauen Reiters‹, die zweite Ausstellung die italienischen Futuristen. Die Sommerausstellung war den von der Kölner ›Sonderbund-Ausstellung‹ zurückgewiesenen Bildern reserviert, dann kamen die Fauves als ›Französische Expressionisten‹ sowie die Belgier an die Reihe. Früher Höhepunkt der Ausstellungstätigkeit Waldens war der ›Erste Deutsche Herbstsalon‹ von 1913, ein Pendant zum Pariser ›Salon d'Automne‹. Dieses ohne Fortsetzung gebliebene Unternehmen vereinte 366 Arbeiten von 86 zeitgenössischen Künstlern aus zwölf Ländern. »Im ›Sturm‹ haben fast alle Künstler ausgestellt, die man später einmal als die bestimmenden Kräfte ihrer Zeit ansehen wird«, meinte Herwarth Walden, und der Lauf der Entwicklung hat ihn bestätigt.

Obwohl das Ausstellungsprogramm weit gespannt war und im Prinzip keine der jungen Stilströmungen ausschloß, galt ›Der Sturm‹ doch bald als Synonym für den Expressionismus und der Expressionismus wiederum, wie Walden ihn verfocht, als Synonym für den gesamten Avantgardismus. Später hat man den Begriff ›Sturm-Expressionismus‹ hinzugefunden. Mit ihm wurden nicht nur die stilistischen und ästhetischen Eigentümlichkeiten der in Frage kommenden Kunstwerke definiert, sondern auch ihre Funktion als Waffen im moralischen, gesellschaftlichen und politischen Kampf. Die Kunst trat aus ihrem angestammten Rahmen heraus.

Der ›Sturm-Expressioinismus‹ in solchem Sinne begann mit den berühmt gewordenen Porträtzeichnungen Oskar Kokoschkas, die Walden schon von 1910 an in seiner Zeitschrift veröffentlichte. Für die intensivste Verwirklichung aber sorgte Ludwig Meidner, der in Berlin zum Prototyp des Großstadtmalers wurde und bei Walden seine eigentliche Plattform fand. Der gebürtige Schlesier, der 1912 eine kurzlebige Künstlergruppe mit dem bezeichnenden Namen ›Die Pathetiker‹ gründete, trieb seine Malerei zu einer totalen Eruption von Leidenschaften und Gesichten. Kriegsgrauen, brennende Städte, Sterbende in Schützengräben und apokalyptische Landschaften unseres Zeitalters waren seine Themen, Seismographen gleich, schon zwei Jahre vor dem Ausbruch des Ersten Weltkriegs, und aus seinem Atelier sandte er die dichterische Nachricht: »Mein letztes Bild blutet auf seiner Staffelei«. Auch Meidners Porträts sind von dieser dramatischen Wahrheitssuche durchdrungen (Abb. 9).

Expressionismus in Österreich

Gustav Klimt, Egon Schiele und Oskar Kokoschka haben das Panorama der österreichischen Malerei von der Jahrhundertwende bis 1918 bestimmt. Das geschah entscheidend in Wien, wo alle politischen, gesellschaftlichen und künstlerischen Strömungen des k.u.k. Vielvölkerstaates zusammentrafen. Dort entwickelte sich, beeinflußt von französischem Symbolismus und

9 Ludwig Meidner, Porträt Max Herrmann-Neisse, 1920

Münchener Secession, ein spezifisch Wiener Jugendstil. Er nahm die morbide Süße der alternden Donaumonarchie in sich auf und geriet schwärmerisch, schwelgerisch, kostbar und subtil. Vor allem war er erotischer als anderswo. Und das zur selben Zeit, als Sigmund Freud in Wien seine ersten psychoanalytischen Erkenntnisse veröffentlichte. An beiden Voraussetzungen kam der nachfolgende Expressionismus nicht vorbei.

Klimt, zunächst Hauptvertreter des Wiener Jugendstils, wandelte sich um 1909 zum dekorativen Expressionisten. Er verlieh seinen Menschen einen individuelleren Ausdruck als vorher, nahm sie aber nicht aus dem ornamentalen Gefüge von Hintergrund und Umraum heraus. So blieb er auf der Mitte des Weges stehen.

Als wagemutiger erwies sich der um knapp zwei Jahrzehnte jüngere Schiele (Abb. 10). Er gelangte rasch zu einer individuellen Bildsprache, die herb und asketisch war, eckig, spröde, bizarr und nicht selten schrill. Kunstvoll verhäßlichte er Bildnisse, um in der Deformation des Physischen seelisches Leid, Depressionen und Pein sichtbar werden zu lassen. Melancholie durchweht viele seiner Werke, der Hauch des unerbittlich kommenden Todes liegt über fast allen. Daß Schiele Schmerz und Verzweiflung hauptsächlich der niederen sozialen Schichten schilderte, hat man ihm noch mehr übelgenommen als seine erotische Ekstatik. Um diese hat sich nur die Justiz sehr gesorgt und den Künstler 1912 für vier Wochen »wegen Herstellung pornografischer Bilder« eingesperrt. Im selben Jahr nahm Schiele an der internationalen Kölner Sonderbund-Ausstellung teil.

Oskar Kokoschka, enfant terrible unter sämtlichen Expressionisten, hat in Wien die Serie seiner psychologischen Porträts begonnen, die Herwarth Walden auf ihn aufmerksam werden ließ. Beeinflußt schon von Freud, unterzog Kokoschka seine Modelle einem Röntgenprozeß, indem er sie malte, und in der Darstellung von Mann und Frau personifizierte er stets auch den ewigen Konflikt der Geschlechter. Seine Städtebilder, die freilich erst später zahlreich wurden, verdichtete er zu dramatisch bewegten, farbenprächtigen Vedouten (Ft. 7). Ihre Vor-

10 Egon Schiele, Frau mit zwei Kindern, 1917

bilder sind im Barock zu finden. Als Kokoschka 1910 Wien
verließ, trat der österreichische Expressionismus ins zweite Glied
zurück.

Expressionismus in der Schweiz

»Mit Bewunderung und Begeisterung haben wir Ihre Werke gesehen, und wir erlauben uns, Sie zu fragen, ob Sie unserer Gruppe
›Brücke‹ beitreten wollen«, schrieb Erich Heckel dem Schweizer

11 Cuno Amiet, Landschaft mit Häusern, 1914

Maler Cuno Amiet (Abb. 11) im September. Dieser folgte dem
Ruf und beteiligte sich auch an mehreren Ausstellungen der
Dresdener Künstlergemeinschaft. Umgekehrt fand der ›Brücke‹-
Expressionismus in der Schweiz, deren Kunst schon immer aus-

drucksbetont war, fruchtbaren Boden. Bereits vor der Jahrhundertwende hatte sich Ferdinand Hodler einer expansiven Gebärdensprache bedient, die gegen Ende seines Lebens in der Bildfolge vom Sterben der Valentine Godé-Darel (1914/15) ihren erschütternden Höhepunkt finden sollte.

In der Auseinandersetzung mit Hodler, vor allem aber auch mit der französischen Moderne (Schule von Pont-Aven, Fauves, früher Kubismus), die nicht zuletzt aus geographischen Gründen auf die Schweizer Künstler wirkte, gelangten Amiet, Giovanni Giacometti und Hans Berger noch im ersten Jahrzehnt des neuen Jahrhunderts zu einem eigenen expressionistischen Malstil. Breiten Raum nahm dieser dann im ›Modernen Bund‹, der 1911 gegründeten Vereinigung Schweizer Künstler, die auf die öffentliche Durchsetzung aller avantgardistischen Strömungen abzielte, ein: Vertreten durch Walter Helbig und Hermann Huber, die sich an der ›Brücke‹ orientierten, sowie durch Oscar Lüthy und Albert Pfister, die kubistische Formelemente mit expressionistischen verbanden.

Der anfangs durch eine starke Naturverbundenheit charakterisierte Schweizer Expressionismus mündete unter dem Eindruck des Ersten Weltkrieges und seiner auch in der Schweiz spürbaren Folgen schließlich in einer Weltschmerzstimmung. So spiegeln sich seelische Bedrängnisse in den Bildern der Brüder Eduard und Ernst Gubler, während sich im Werk von Ignaz Epper, Fritz Pauli und Johann Schürch beklemmende Phantasien und pessimistische Visionen finden.

1917 ließ sich Ernst Ludwig Kirchner, Genesung suchend, in Davos nieder, wo er die letzten beiden Jahrzehnte seines Lebens verbrachte. Die Wirkung seiner Kunst auf die Schweizer Malerei war groß. Sie führte nicht nur zur Bildung einer regelrechten Kirchner-Schule (Huber, Philipp Bauknecht, Pauli, Robert Wehrlin), sondern auch zur Formierung des sogenannten Basler Expressionismus, dessen wichtigste Träger, Albert Müller und Hermann Scherer, Anfang 1925 die Gruppe ›Rot-Blau‹ gründeten. Diese erlosch zwar zwei Jahre später wieder mit dem Tode beider Künstler, doch bewahrte sich der Expressionismus in der Schweiz bis zum Ende des Jahrzehnts bemerkenswerte Aktualität.

Expressionismus in Belgien und den Niederlanden

Außerhalb des deutschen Sprachraumes hat sich ein Expressionismus, der eigenständig genannt werden kann, nur in Belgien und den Niederlanden durchgesetzt. Die Entwicklung in beiden Ländern unterscheidet sich allerdings wesentlich voneinander.

Die belgischen Expressionisten, hervorgewachsen aus der ländlichen Künstlerkolonie Laethem-Saint-Martin bei Gent, einem flämischen Worpswede, begegneten dem Leben wie der Natur mit urwüchsiger, fast bäuerischer Kraft. Lateinischer und

12   Constant Permeke, Morgendämmerung, 1935

13 Jan Sluijters, Die Bauern von Staphorst, 1917

germanischer Herkunft gleichermaßen verpflichtet, suchten sie
eine Balance zwischen Polaritäten, zwischen Krisenerfahrung
beispielsweise und positiver Weltsicht. So kannten sie, im Gegensatz zu ihren deutschen Kollegen, weder elementare Erregt-
heit in ihren Werken noch soziale Beunruhigung. Sie spürten
auch nicht den mystischen Weltgeheimnissen nach, und sie ver-

zichteten darauf, in die verborgensten Kammern der menschlichen Seele zu dringen. Als ›Wilde‹ wollten sie erst recht nicht gelten. Die Belgischen Expressionisten, übrigens durchweg Flamen, nahmen die Welt und das bürgerliche Dasein mit allen Schattenseiten als Gegebenheiten hin. Ihre leuchtende Malerei diente als Bestätigung. Das gilt vornehmlich für Rik Wouters, der fauvistische Elemente mit expressionistischen verband. Auf herbere Weise artikulierte sich Constant Permeke (Abb. 12), das eigentliche Haupt unter den Expressionisten Belgiens. Er hielt sich in der Farbe zurück, neigte sogar einer bräunlichen Erdhaftigkeit und Formschwere zu, überdehnte aber Gestalten gern zu unbewegbar scheinenden, kubischen Monumenten. Zugleich schuf er Landschaftsbilder von großem Atem und mit herbstlich-strengen Stimmungswerten. Nur Frits van den Berghe fühlte sich den deutschen Expressionisten enger verbunden.

Anders die Holländer. Ihre Quellen waren van Gogh, Cézanne, die Fauves mit ihrem Landsmann van Dongen und der frühe Mondrian. Unter dem Eindruck der Kölner ›Sonderbund-Ausstellung‹ von 1912, bei der Holland knapp, Belgien gar nicht vertreten war, beflügelt aber auch durch zahlreiche persönliche Bekanntschaften, begann bald darauf eine generelle Orientierung zum deutschen Expressionismus hin. Unmittelbar nach einer Ausstellung, die Franz Marc 1913 in Den Haag zeigte, wandte sich Jan Sluijters dem Expressionismus zu. Er wurde bald zu einem der prominentesten Vertreter dieses für Holland neuen Stils und setzte seine Ideen in kräftige und auf kühne Art düstere Farben um (Abb. 13). Hendrik Chabot steigerte den Himmel und die Wolken über der flachen holländischen Landschaft zu dramatischen Farbakkorden, und Jacoba van Heemskerck schließlich hielt ständig Verbindung zum Berliner ›Sturm‹, nach dessen Beispiel übrigens in den Niederlanden mehrere progressive Künstlergruppen gegründet wurden, darunter die ›Schule von Bergen‹ und die Rotterdamer ›Brandung‹.

Neo-Primitivismus

Im Gefolge der mißlungenen Revolution von 1905 kam es in Rußland zu einer Liberalisierung der Kommunikation mit dem Westen, die auch auf künstlerischem Gebiet zu einem verstärkten Austausch führte. Häufiger noch als zuvor suchten russische Künstler die damaligen europäischen Kunstzentren München, Wien und Paris auf, um dort monatelang, manchmal über Jahre hin zu bleiben. Ausstellungen westlicher Kunst in St. Petersburg und Moskau mehrten sich, gefördert vor allem von der Kunstzeitschrift ›Das goldene Vlies‹, die sich für Avantgardistisches engagierte. Und schließlich legten sich die bedeutendsten unter den immer zahlreicher gewordenen russischen Kunstsammlern, die Großkaufleute Sergej Schtschukin und Iwan Morosow, Kunst

14   Natalia Gontscharowa, Heuernte, 1910

seit Cézanne in solchem Umfang zu, daß man über die französische Moderne in Moskau bald einen besseren Überblick gewinnen konnte als in Paris.

Parallel dazu besannen sich russische Künstler auf die Volkskunst ihrer Heimat, auf deren Ursprünglichkeit und Originalität sie nicht zuletzt durch Cézanne und Gauguin hingewiesen worden waren.

Von beiden Impulsen gleichermaßen bestimmt, entfaltete sich zwischen 1907 und 1911 in Moskau der Mischstil des sogenannten Neo-Primitivismus, in erster Linie vertreten durch Michail Larionow und Natalia Gontscharowa (Abb. 14). Anknüpfend an den Lubok, den bäuerlichen russischen Holzschnitt des 19. Jahrhunderts, schufen sie Gemälde in der Manier von Bilderbogen: horizontal im Aufbau, mit Handlungen, die sich auf schmalen Streifen zusammendrängen, und silhouettenartigen Gestalten, deren anatomische Proportionen zur Hervorhebung ihrer Charaktere bzw. Situationen absichtsvoll verzerrt und übersteigert wurden. Bevorzugte Themen bilden der bäuerliche Alltag und Szenen mit einfachen Soldaten. Natalia Gontscharowa hat gern sinnenhaft kräftige Farben gewählt, während Larionow überwiegend bei einer gedämpften Palette blieb.

»Bilder im Geiste des Primitivismus« hat, wie er selbst sagte, auch Kasimir Malewitsch gemalt, gefolgt von David Burljuk, Nikolai Krymow und Alexander Schewtschenko, der sich theoretisch und praktisch mit dem Neo-Primitivismus befaßte. Die Übergänge zum russischen Kubo-Futurismus sind, vor allem bei Malewitsch, gleitend.

Religiöser Expressionismus

Dem Expressionismus im weitesten Sinne sind zwei Künstler zuzurechnen, die von Anfang an religiös motiviert waren, wie kaum sonst einer unter den großen Malern unseres Jahrhunderts: der Franzose Georges Rouault und der Russe Marc Chagall.

15   Georges Rouault, Der junge Arbeiter (Selbstbildnis), um 1925

Rouault, wie Matisse und Marquet aus der Symbolisten-
Schule Moreaus hervorgegangen, hat die Fauves ein kurzes
Wegstück begleitet, ist jedoch nie ihrem Farbrausch verfallen. Er
dämmte das Kolorit vielmehr zurück und band es in glasfen-

sterartigen Binnenkonturen, erweckte allerdings auch gern den
Eindruck, als wollte er es im nächsten Moment, Vulkanen gleich,
rotglühend ausbrechen lassen. Trotzdem stand im Mittelpunkt
seines Schaffens nicht die Farbe, sondern der Bildinhalt, das
Thema Mensch (Abb. 15). Rouault hat Akrobaten, Clowns und
Tänzerinnen dargestellt, Verführungen und Laster, Dirnen,
Richter und Sittenwächter. Seine Kunst gipfelte in den Bot-
schaften der christlichen Passion, in der Lehre von der Gegen-
wärtigkeit des Welterlösers.

Auch Chagall hat das bunte Leben der Dorfgeiger, Tänzer
und Harlekine geschildert, die überirdische Entrücktheit trun-
kener Bauern und geschmückter Bräute (Ft. 5). Er tat dies jedoch
ohne den leisesten Versuch des Moralisierens. Seine bildnerischen Mitteilungen sind heiter, träumerisch und optimistisch, sie
entsprangen schwärmerischen Erinnerungen an die weißrussische
Heimat, und sie künden in beinahe surrealer Fabulierlust von
der Unvergänglichkeit der irdischen Liebe. Die »Zusammenord-
nungen von inneren Bildern«, wie Chagall seine Werke selbst
genannt hat, sind geprägt vom grenzenlosen Gottvertrauen der
jüdischen Lehre des Chassidismus. Ihre blühende Farbigkeit ist
bis in das Spätwerk hinein auch ein Ergebnis der vielfachen Begegnungen, die Chagall mit der expressionistischen Malerei im
Kreis des Berliner ›Sturm‹ hatte. Die Brücke zum Kubismus hin
wurde von diesem Künstler fast mühelos geschlagen.

◁

1 André Derain Collioure, Das Dorf und das Meer, 1904/05 △

2 Ernst Ludwig Kirchner Der Rote Turm in Halle, 1915

3 Franz Marc   Rehe im Wald II, 1913/14

4 August Macke Tunis. Blick auf eine Moschee, 1914

5 Marc Chagall Ich und das Dorf, 1911

◁

6 Emil Noldę Landschaft bei Seebüll, 1956

7 Oskar Kokoschka Dresdner Neustadt IV, 1922 ◁

8 Pablo Picasso Porträt Ambroise Vollard, 1909/10

Kubismus

Den Auftakt zum Kubismus gab weder ein Lebensgefühl noch eine Gemeinschaftsaktion, sondern ein Bild: *Les Demoiselles d'Avignon* (Abb. 16). Pablo Picasso malte es in den Jahren 1906 und 1907. Das Gemälde, sparsam in rötlich-braunen und blauen Tönen gehalten, zeigt fünf junge, halbbekleidete Frauen in einem Bordell. Während aber Toulouse-Lautrec, der diesen Themenkreis als erster in die Kunst einbezogen hatte, Verständnis für die Außenseiter der Gesellschaft wecken wollte und Rouault später aus seiner christlichen Haltung heraus mitleidend moralisierte, war für Picasso das Motiv von vollkommen zweitrangiger Bedeutung. Sein Interesse konzentrierte sich auf das rein künstlerische Problem, den abgenutzten klassischen Figurenstil zu überwinden und zu einer neuen Intensität des menschlichen Ausdrucks zu kommen. Die Expressionisten, welche fast gleichzeitig ähnlichen Zielen zustrebten, wählten das Mittel der Formübersteigerung und Farbballung. Picasso hingegen suchte nach Formverkürzung und Farbeinschränkung. In konsequenter Fortentwicklung der Cézanneschen Grundidee vom architektonisch gebauten, nicht-illusionistischen Bild reduzierte er die menschliche Anatomie auf Rhomben und Dreiecke und verzichtete damit auf die Wiedergabe der natürlichen Proportionen. Die Stilisierung schließlich bewirkte eine elementare Kräftigung des Ausdrucks. Picassos Vorbilder waren die archaischen Skulpturen seiner iberischen Heimat, die Gemälde El Grecos und Gauguins, vor allem jedoch die Schnitzwerke der afrikanischen Negerkunst, die kurz zuvor von den europäischen Malern entdeckt

16   Pablo Picasso, Les Demoiselles d'Avignon, 1907

worden waren. Aus der Vereinigung aller dieser Elemente und
Gedanken sowie aus ihrer eigenständigen Umwandlung entstand
der Kubismus. Seine erste Phase, die cézannistisch-primitivistische, dauerte bis in das Jahr 1909. Die Blütezeit allerdings folgte
erst danach.

Auf Vermittlung des mit ihm befreundeten Dichters Guillaume Apollinaire lernte Picasso Ende 1907 den fast gleich-
altrigen Georges Braque kennen. Als Braque Picasso zum ersten
Male besuchte, sah er bei ihm das Avignon-Bild. Sofort er-
kannte Braque, daß dieses Bild sämtliche kompositorischen
Maßstäbe über den Haufen warf, die bis dahin gegolten hatten.
Er war bestürzt und fasziniert zugleich, zumal er noch ganz

unter dem Eindruck der großen Cézanne-Retrospektive stand, die kurz vorher im Salon d'Automne gezeigt worden war. Ohnehin entschlossen, der Ästhetik des Fauve-Kreises, dem er bis dahin angehört hatte, abzuschwören, entdeckte der junge Franzose im Atelier des jungen Spaniers ganz plötzlich die praktischen Ansätze hierzu. Die Folge war eine enge, sich über viele Jahre erstreckende und für beide Seiten unerhört anregende Zusammenarbeit zwischen Picasso und Braque. Sie ist inzwischen zu einem Stück Kunstgeschichte, ja, zu einer Legende geworden.

Im Herbst 1908 stellte Braque in einer kleinen Galerie, die im Jahr zuvor von einem jungen Deutschen namens Daniel-Henry Kahnweiler eröffnet worden war, eine Reihe von Bildern aus, die die Jury des Salon d'Automne nicht hatte akzeptieren wollen. Zu radikal war ihrer Ansicht nach die geometrische Vereinfachung von Figur und Landschaft. Der Kritiker Louis Vauxcelles berichtete darüber im ›Gil Blas‹ vom 14. November 1908, wobei er zur Erläuterung des neuen Stils das Wort »Cubes« benutzte. Fortan hatte der Kubismus seinen Namen, gefunden vom selben Kritiker, der unfreiwillig auch zum Paten des Fauvismus geworden war.

»Als wir begannen, kubistisch zu malen«, sagte Picasso später, »hatten wir nicht im geringsten die Absicht, die Malweise des Kubismus zu kreieren. Wir wollten vielmehr nur das ausdrücken, was uns bewegte.« Und Braque meinte rückschauend: »Es schien fast, als seien wir zwei Bergsteiger, die an einem Seil hängen.«

Analytischer Kubismus

Die zweite Phase des Kubismus, in welcher der Stil seine entscheidende Spiritualisierung erfuhr, begann noch 1909 und dauerte bis zum Sommer 1912. Sie brachte dem Kunstwerk die erstrebte Unabhängigkeit von den Realitäten ringsum, ohne es indes in die Abstraktion hinüberzurücken. Die Maler stellten weiterhin gegenständliche Dinge dar, insbesondere Stilleben und

Figuren, taten dies allerdings nicht mehr von einem einzigen Standort, von ihrer Staffelei aus sozusagen, sondern von einer Reihe solcher Blickpunkte. Sie umschritten, durchaus im physischen Sinne dieses Wortes, die Objekte ihres Interesses. Sie hielten fest, was sich an diesen von oben und unten, von vorn und hinten sowie von den Seiten her wahrnehmen ließ, analysierten das Ergebnis und übertrugen es facettenreich auf die Leinwand. »Das fragmentarische Ansichtsbild«, so der Kunsthistoriker Werner Haftmann, verwandelte sich »in ein ganzheitliches Vorstellungsbild«.

Dabei unterschieden die kubistischen Analytiker nicht mehr zwischen den ursprünglich körperhaften Formen und dem sie umgebenden Raum, sondern sie verschmolzen Form und Raum. An die Stelle der früheren perspektivischen Systeme, die jedem Ding einen deutlich bestimmbaren Platz innerhalb einer vorgetäuschten Tiefe zuwiesen, trat nun ein Gefüge aus einander durchdringenden, sich überschneidenden und zergliedernden Flächen. Konstruktionen aus Ebenen also statt Volumen. Dabei wurde die räumliche Situation immer unbestimmbarer. Dichte, undurchsichtige Formen konnten plötzlich schwerelos transparent werden und Flächen, die früher den Hintergrund ausgemacht hätten, ganz vorn im Schwebezustand erscheinen. Auch die Identität der Dinge geriet ins Schwimmen. Ein Tisch konnte zu einer Wand oder zu einem Buch werden, eine Hand zu einem Musikinstrument. Keine optische Tatsache war mehr absolut.

Unter solchen Voraussetzungen mußte auch die Farbe ihre überlieferte Bedeutung verlieren. Weder hatte sie geschichtete Tiefen durch entsprechende Lichtwerte zu suggerieren, noch war es ihr gestattet, Emotionen sichtbar werden zu lassen. So beschränkte sie sich ziemlich durchgehend auf eine braun-graublaue Grundskala, ohne allerdings auf atmosphärische Wirkungen zu verzichten. Ihr metallischer Akkord schuf geradezu eine neue Farbästhetik.

Bis in das Jahr 1910 hinein arbeiteten Picasso und Braque auch draußen nach der Natur, in der Nähe des Mittelmeers vor allem, wo sie wiederholt, wenn auch nicht immer gemeinsam,

17   Georges Braque, Der Portugiese, 1911

die Sommermonate verbrachten. Dann aber verlegten sie ihre schöpferische Tätigkeit mehr und mehr in die Pariser Ateliers, die im Grunde alles bereit hielten, was der analytische Kubismus benötigte: Tische, Stühle, Krüge, Kannen, Weinflaschen, Gläser, Tabakspfeifen und Musikinstrumente. Das ganze Arsenal dieser Motive wurde zu Stilleben verdichtet. In die Ateliers aber kamen auch die Modelle, die Akt standen, und die Freunde, die sich porträtieren lassen wollten (Abb. 17), unter ihnen Ambroise Vollard (Ft. 8), der Kunsthändler, den schon Cézanne gemalt hatte, und Kahnweiler, der zum großen Förderer der Kubisten werden sollte.

Schließlich bedurfte es nicht einmal mehr eines optischen Ausgangspunktes. Picasso und Braque begannen, sich ihrer gespeicherten visuellen Erfahrung zu bedienen. Das machte sie frei, mit den Dingen zu experimentieren und neue kompositorische Möglichkeiten zu erkunden. 1911 begann Braque, Buchstaben in seine Bilder zu fügen. Picasso folgte, und bald fanden sich in den meisten neuen Werken der Maler auch Zahlen, Wortfragmente, ganze Worte und typographische Zeichen. Dieser Kunstgriff verhinderte, daß die Bilder als flächige Abstraktionen mißverstanden wurden. Zahlen und Schriftzeichen nämlich, die jedermann kannte, ließen sich sofort als zweidimensionale Elemente identifizieren. Der sie umgebende Bildraum indessen geriet dazu in Kontrast und bestätigte so seine dreidimensionale Unbestimmtheit.

Synthetischer Kubismus

Der synthetische Kubismus war kein Widerruf des analytischen, sondern seine Vollendung. Er entstand in der künstlerischen Absicht, die Vorherrschaft des Abbildes zugunsten des nur auf sich selbst bezogenen Bildes zu brechen. Den Malern ging es nicht mehr darum, die von ihnen wahrgenommenen und umstrittenen Gegenstände in ihre Grundelemente zu zerlegen, sondern neue Gegenstände zu schaffen. Dazu dienten ihnen rein bildnerische Elemente und plane Materialien.

Den ersten Schritt in dieser Richtung tat im Mai 1912 Picasso. Er leimte in ein ovales Stilleben ein Stück Wachstuch hinein, das mit dem Muster eines Rohrstuhlgeflechts bedruckt war und nachher im Bild einen Stuhl darstellte. Das Prinzip war keineswegs ganz neu. Bereits die spanischen Primitiven hatten sich seiner bedient, indem sie reale Elemente in gemalte Bildoberflächen einfügten. Picasso aber aktivierte die alte Idee genau im rechten Moment sowie in verändertem Zusammenhang. Später gingen er und seine Nachfolger sogar noch weiter. Sie holten Dinge in ihre Bilder, die nicht mehr eine andere Sache darstellten (wie noch das Rohrgeflecht den Stuhl), sondern ausschließlich sich selbst bezeichneten (wie Zeitungsausschnitte, Visitenkarten oder Textilteile).

Nur wenige Wochen nach der Entdeckung Picassos entstand im September 1912 das erste ›papier collé‹: Braque klebte in ein gemaltes Früchtestilleben ein mit künstlicher Holzmaserung versehenes Tapetenstück hinein. Es war von jener Art, wie sie die Tapezierer noch heute beim Ausstatten von Wohnungen oder Geschäftsräumen zu verwenden pflegen. Das Klebepapier beseitigte endgültig die Reste des illusionistischen Raumes, denn es war selbst im konkreten wie im absoluten Sinne flach. Damit war die Papier-Collage geboren, die innerhalb der modernen Kunst besonderen Stellenwert erhielt und sich inzwischen auch als Gattung verselbständigt hat.

Die Collage erlaubte übrigens auch der Farbe die Rückkehr ins Bild. Sie war nun nicht mehr von vorgegebenen Formen abhängig und mußte nicht mehr nachahmen. Sie war Bestandteil der neuen Stofflichkeit geworden.

An der vollen Entfaltung des synthetischen Kubismus waren Picasso und Braque zwar noch wesentlich, aber nicht mehr allein beteiligt. Zu ihnen hatte sich ein Kreis von Künstlern gesellt, von denen Fernand Léger und Juan Gris die weitaus größte Bedeutung gewannen. Léger kombinierte während seiner kubistischen Zeit, Cézanne wörtlich nehmend, ›Zylinder, Kugel und Kegel‹ zu quasi-analytischen Raumbildern, wobei die Formelemente bald ein so pralles, röhrenähnliches Aussehen gewannen (Ft. 21), daß ein Kritiker meinte, man sollte nicht mehr

18   Juan Gris, Syphon, Glas und Zeitung, 1916

von Kubismus sprechen, sondern von ›Tubismus‹ (abgeleitet
vom französischen ›tube‹ = Rohr). Gris hingegen, Spanier wie
Picasso und rationalster Geist unter allen Kubisten, ging von
der Abstraktion aus, um zur Realität zu gelangen. Er hat fast
nur Stilleben gemalt, die zu Metaphern seiner kubistischen Erfahrung wurden (Abb. 18).

Nachhaltig beeinflußt von Picasso, Braque und Gris wurden Albert Gleizes und Jean Metzinger, die 1912 unter dem Titel »Du Cubisme« das erste Buch über den neuen Stil veröffentlichten, Henri Lhote, Louis Marcoussis, Roger de la Fresnaye, Jacques Villon (der eigentlich Gaston Duchamp hieß und Bruder des späteren Dadaisten Marcel Duchamp war) sowie Henri Le Fauconnier. Sie gründeten die Gruppe ›Section d'or‹, riefen eine gleichnamige Zeitschrift ins Leben und veranstalteten im Oktober 1912 in der Pariser Galerie de la Boëtie eine Ausstellung, die zur wichtigsten Manifestation des Kubismus in Frankreich wurde. Braque und Picasso hielten sich fern. Der ›Goldene Schnitt‹ war nicht das, was in ihrer eigenen Malerei von Bedeutung hätte sein können. Zwei Jahre später, mit Beginn des Ersten Weltkriegs, ging der klassische Kubismus zu Ende. Seine Wirkungen waren schon vorher bei den west- und süddeutschen Expressionisten, im Werk des Argentiniers Emilio Pettoruti, bei den russischen Kubo-Futuristen sowie unter den tschechischen Kubo-Expressionisten zu spüren gewesen.

Kubo-Expressionismus

Die Künstler von Prag, bis zum Ende des Ersten Weltkriegs noch Bürger der bröckelnden Donaumonarchie, haben zwischen 1907 und 1917 verschiedene Beiträge zur modernen Malerei und Plastik geleistet. Der eigenständigste unter ihnen war der Kubo-Expressionismus, dessen Höhepunkt in die Jahre von 1910 bis 1912 fällt. Zu seinen Hauptvertretern gehörten die Maler Bohumil Kubišta (Abb. 19), Emil Filla und Antonin Procházka, drei aus der radikalen Künstlergruppe der ›Acht‹. Sie gingen zunächst vom mitteleuropäischen Expressionismus aus, rückten dann aber den französischen Kubisten so nahe, daß sie deren Strukturschema faktisch adaptierten. Mit der »rationalen Objektivierung der natürlichen Formen« verbanden sie allerdings die Absicht, »Bilder zu malen, die erfüllt sind von der gesteigerten inneren Spannung des menschlichen Seelenlebens«, so der tschechische Kunstkritiker Miroslav Lamač. Das hat zu

19   Bohumil Kubišta, Der heilige Sebastian, 1912

seltsamen, in keinem anderen Land auftauchenden Kontrastie-
rungen geführt. Die Werke der Kubo-Expressionisten sind gleichermaßen von geometrischen Grundgesetzen wie von dynami-
schem Manierismus bestimmt, und Exaltation kann im selben
Werk neben lyrischer Verhaltenheit stehen. Die Malerei der
einstigen tschechischen Avantgarde ist draußen kaum bekannt
geworden; um so länger hat sie im Lande als Vorbild gewirkt.

Orphismus

»Ich habe eine Architektur aus Farben gewagt, in der Hoffnung, die Impulse, den Zustand einer dynamischen Poesie zu realisieren, und dabei ausschließlich in den malerischen Mitteln zu bleiben, bar jeder Literatur, jeder beschreibenden Anekdote.« Dieses Bekenntnis stammt von Robert Delaunay, dem Begründer und bedeutendsten Vertreter einer Kunstrichtung, für die Guillaume Apollinaire in Anspielung auf den berühmten Sänger der griechischen Sage den Namen ›Orphismus‹ fand. Das war 1912. Tatsächlich hat die moderne Lyrik der Vorweltkriegszeit eine starke Faszination auf Delaunay ausgeübt. Immer wieder gelangte seine Bildsprache zu Rhythmen, die denen der Poesie eng verwandt sind. Der Orphismus ist aber vor allem ein Kind der Farbtheorie der Neo-Impressionisten und somit ein Urenkel der Lehre von den Komplementärbeziehungen der Farben und der Wirkungen der Simultankontraste, die der französische Chemo-Physiker Michel Eugène Chevreul 1839 veröffentlicht hatte.

Delaunay sah in der Farbe etwas grundsätzlich anderes als nur Pigmentmaterie. Sie war für ihn »Form und Gegenstand« zugleich, nachdem er sich von den analytischen Dingzerstörungen der Kubisten, die ihn zunächst begeisterten, gelöst hatte. »Solange die Kunst vom Gegenstand nicht loskommt«, schrieb er, »bleibt sie Beschreibung, Literatur, erniedrigt sie sich in der Verwendung mangelhafter Ausdrucksmittel, verdammt sie sich zur Sklaverei der Imitation.« Und Delaunay entdeckte schließlich, weit über die Erkenntnisse der Impressionisten hinausgehend, die Wechselwirkung zwischen Farbe und Licht.

Die Geburt der Farbe aus dem Licht vollzog sich für Delaunay im Jahre 1911. Damals ging er zu einer immer abstrakteren Gestaltungsweise über und ließ Farbzonen zu Lichtzonen werden (Ft. 9). Ihre kombinierte Wirkung war imaginativer, nicht mehr imitativer Art. »Die Malerei ist die ureigenste Sprache des Lichtes«, überschrieb er einen Artikel, und während er die Bewegtheit und »rhythmische Simultaneität« der Farben feststellte, meinte er zugleich die Valeurs, die sich aus den Lichtverhältnissen ergaben. Delaunay hat, ähnlich wie Kubisten und Futuristen, das Bild räumlich und zeitlich erlebbar gemacht, nur ließ sein Orphismus die Farbe allein handeln.

Die Wirkungen Delaunays auf die moderne Malerei waren intensiv und vielfältig. Am unmittelbarsten wurde Sonja Terk beeinflußt, eine junge Russin, die sich in Paris niedergelassen und die Delaunay 1910 geheiratet hatte. Sie erweiterte den Orphismus zu einem reich orchestrierten Instrumentarium, während Jacques Villon seltene Farben zu kostbaren Schleiern verwob. Der Tscheche Frank Kupka übernahm für seine künftigen Abstraktionen vor allem die kosmisch-kreisenden Farbformen, und die beiden Amerikaner Stanton MacDonald-Wright und Morgan Russell, die damals in Paris lebten, arbeiteten sogar eine spezifische Variante aus, der sie die Bezeichnung »Synchromismus« gaben. Den stärksten Widerhall allerdings hat Delaunay bei den deutschen Expressionisten gefunden, bei August Macke vor allem, der die rheinischen Freunde und den ›Blauen Reiter‹ für den Orphismus begeisterte. Delaunays Fernwirkungen reichten bis in die sechziger Jahre, bis hin zur Hard-Edge-Malerei der Amerikaner Frank Stella, Robert Indiana und Kenneth Noland oder der Colour-Painting eines Morris Louis.

Futurismus

Fauvismus und Expressionismus jagten als Stürme über die Kunstlandschaften Europas. Der Futurismus brach herein wie ein Gewitter, lärmend, flammend und an allen Grundfesten rüttelnd. Seine Geburtsstunde läßt sich genau bestimmen. Sie schlug am 20. Februar 1909. An diesem Tage veröffentlichte die Pariser Tageszeitung ›Le Figaro‹ ein elf Punkte umfassendes ›Manifest des Futurismus‹, das der italienische Dichter Filippo Tommaso Marinetti mitsamt einem erläuternden Begleittext verfaßt hatte. In diesem Manifest heißt es:

»Wir wollen die Liebe zur Gefahr besingen, die Vertrautheit mit Energie und Verwegenheit . . . Wir erklären, daß sich die Herrlichkeit der Welt um eine neue Schönheit bereichert hat: die Schönheit der Geschwindigkeit . . . Ein Rennwagen ist schöner als die Nike von Samothrake . . . Schönheit gibt es nur noch im Kampf. Ein Werk ohne aggressiven Charakter kann kein Meisterwerk sein . . . Wir wollen den Krieg verherrlichen – diese einzige Hygiene der Welt –, den Militarismus, den Patriotismus, die Vernichtungstat der Anarchisten, die schönen Ideen, für die man stirbt . . . Wir wollen die Museen, die Bibliotheken und die Akademien jeder Art zerstören und gegen den Moralismus, den Feminismus und gegen jede Feigheit kämpfen, die auf Zweckmäßigkeit und Eigennutz beruht. Wir werden die großen Menschenmengen besingen, die die Arbeit, das Vergnügen oder der Aufruhr erregt; besingen werden wir die vielfarbige, vielstimmige Flut der Revolutionen in den modernen Hauptstädten; besingen werden wir die nächtliche, vibrierende Glut der Arsenale und Werften, die von grellen elektrischen Monden erleuchtet werden; die gefräßigen Bahnhöfe, die rauchende Schlangen verzehren; die Fabriken, die mit ihren sich hochwindenden Rauchfäden an den Wolken hängen; die Brücken, die wie gigantische Athleten Flüsse überspannen, die in der Sonne wie Messer aufblitzen; die abenteuersuchenden Dampfer, die den Horizont wittern; die breitbrüstigen Lokomotiven, die auf den Schienen wie riesige, mit Rohren gezäumte Stahlrosse einherstampfen und den gleitenden Flug der Flugzeuge, deren Propeller wie eine Fahne im Winde knattert und Beifall zu klatschen scheint wie eine begeisterte Menge.«

Dieses von politischer Energie und poetischer Kraft zeugende Manifest ist häufig und oft mißverstanden worden. Seine Gegner denunzierten es als Aufruf zum Kulturmord und sahen ein Zeitalter des Vandalismus heraufdämmern. In Wirklichkeit wollte Marinetti seiner Heimat endlich das Tor zur modernen Welt aufstoßen, jenem »mit Blindheit geschlagenen« Italien (Boccioni), das nach ruhmvollen Jahrhunderten in politische Bedeutungslosigkeit zurückgesunken war und kulturell auf internationaler Ebene schon längst nicht mehr zählte.

Pathos und Inhalt der Manifeste rüttelten das geistige Italien wach, riefen enthusiasmierte Mitstreiter sowie erbitterte Gegner auf den Plan. Marinetti bekam Zulauf von allen Seiten, und Gewehrsalven gleich wurden immer neue Manifeste in die Öffentlichkeit geschleudert. Zwischen 1909 und 1943 waren es nicht weniger als 85, von denen allerdings nur knapp die Hälfte in die Periode des klassischen Futurismus, d. h. in die Zeit vor dem Ersten Weltkrieg, fiel. Verkündet wurden Manifeste für futuristische Musik, Literatur, Dramaturgie, Szenografie, Choreografie, Geräuschkunst und synthetisches Theater. Es gab Manifeste über die ›bildnerischen Analogien des Dynamismus‹, über ›Gewichte, Maße und Preise des künstlerischen Genies‹, über ›die futuristische Frau‹ und ›zur Kleidung des Mannes‹. Eine weitere Spezies von Manifesten war gegen irgend etwas gerichtet: gegen das Dahindämmern Venedigs und Spaniens, gegen den Philosophen und liberalen Politiker Benedetto Croce, gegen den Montmartre und die Mailänder Scala, das »Pompeji des italienischen

Theaters«. Für die Malerei wichtig wurden zwei frühe Veröffentlichungen, das ›Manifest der futuristischen Maler‹ vom 11. Februar und das ›Technische Manifest der futuristischen Malerei‹
vom 11. April 1910. Beide tragen die Unterschriften von Umberto Boccioni, Carlo Carrà, Luigi Russolo, Giacomo Balla und
Gino Severini, den fünf stärksten künstlerischen Talenten, die
unter dem Zeichen des Futurismus antraten.

Die Ausgangsposition des Futurismus hat Marinetti in einem
Manifest erläutert, das er im Mai 1913 unter dem Titel ›Die
drahtlose Einbildungskraft‹ herausgab. »Der Futurismus gründet
sich auf die vollständige Erneuerung der menschlichen Sensibili-
tät als Folge der großen wissenschaftlichen Entdeckungen«, heißt
es da. »Diejenigen, welche heutzutage Dinge benutzen wie Tele-
phon, Grammophon, Eisenbahn, Fahrrad, Motorrad, Ozeandamp-
fer, Luftschiff, Flugzeug, Kinematograph und große Tageszeitun-
gen, denken nicht daran, daß diese verschiedenen Kommunikati-
ons-, Verkehrs- und Informationsformen auch entscheidenden
Einfluß auf ihre Psyche ausüben.«

Vom industriellen Zeitalter und dem sich darin verändernden
Menschen ausgehend, forderte die Bildtheorie des Futurismus,
sämtliche Erscheinungsformen des Lebens zu erfassen, eine vollständige Wirklichkeitserfahrung zu vermitteln und dabei den
Betrachter eines Kunstwerkes nicht nur als passives Gegenüber zu
behandeln, sondern ihn »mitten in das Bild zu setzen«: so 1914
Boccioni in einem von ihm unter diesem Titel verfaßten Manifest. Der Mensch könne nicht mehr davon ausgehen, allein ein
empfindendes Wesen zu sein. Auch leblos erscheinende Dinge hätten ihre Gemütsregungen: Bahnhöfe beispielsweise, belebte Bou-
levards, Häuser, die sich im Bau befinden oder gerade zusammen-
stürzen (Ft. 10). Es ist der Auftrag des Bildes, die Dynamik des
Universums »als dynamische Empfindung« (Technisches Manifest) wiederzugeben, Licht, Beleuchtung und Atmosphäre festzuhalten und die Kontinuität von Fakten und Ereignissen zu be-
tonen. Bewegung, Geschwindigkeit, Simultaneität und Durchdringung sind weitere Schlüsselworte der futuristischen Malerei.

Bewegung kann auf zweierlei Weise mitgeteilt werden. Einmal
als *absolute Bewegung* mittels Kraftlinien, die »wie Pfeile auf das

20   Giacomo Balla, Geschwindigkeit eines Autos + Licht + Ton, 1913

Gemüt des Betrachters fallen« (Carrà) oder als Zick-Zack- bzw.
Wellenlinien in Erscheinung treten; und zum anderen als *relative
Bewegung*, bei der die zeitlich aufeinanderfolgenden Bewegungs-
phasen etwa eines fahrenden Autos (Abb. 20) oder eines traben-
den Pferdes nach der Art alter, übereinanderkopierter Fotos nebeneinander gesetzt sind. Durch die Simultaneität und wechselseitige Durchdringung aller zu einem Motiv gehörenden Dinge
und Ereignisse tritt zu den drei bekannten räumlichen Dimen-
sionen als vierte Dimension die Zeit hinzu. Formal lehnten sich
die Futuristen unter Verwendung des Prinzips der analytischen
Dingzerlegung an den französischen Kubismus, farblich huldig-
ten sie den Lehrsätzen des Neo-Impressionismus (auch Divisio-
nismus genannt).

Der Futurismus wäre schließlich nicht denkbar ohne eine weitere Dimension, die akustische. »Unsere malerischen Empfindungen können nicht geflüstert werden«, heißt es im Technischen
Manifest. »Wir wollen sie singen und hinausschreien in unseren

Bildern, die wie betäubende Siegesfanfaren schmettern werden.« Und Boccioni, Wortführer unter den Malern wie Marinetti unter den Dichtern, rief auf:»Preisen wir das Stimmengewirr, die mathematische Verteilung der Arbeit in den Laboratorien, die Pfiffe und Eisenbahnzüge, die Konfusion auf den Bahnhöfen und die Unruhe! Und die Schnelligkeit! Und die Präzision! Preisen wir das Pfeifen der Sirenen als Ersatz für das langweilige und entmutigende bronzene Gebrummel der Kirchenglocken, das Motorengeräusch und das Ohrfeigengeknatter der Treibriemen! Die Farben, die Formen, die Ideen, die diesen, dem modernen Leben so notwendigen Manifestationen dienen, sind der Natur viel näher, als die törichten Nachahmer vergangener Stile sich träumen lassen.«

Der Futurismus, der immer auch zugleich politisch war und chauvinistisch (»Das Wort *Italien* muß über das Wort Freiheit dominieren«, heißt es im Politischen Programm von 1913), verlor seine schöpferische Kraft während des Ersten Weltkrieges und verödete schließlich im Faschismus. Den humanen Elan des Aufbruchs und die Originalität seiner künstlerischen Leistung aber konnte dieses tragische Ende nicht schmälern.

1912 begann sich der bis dahin praktisch nur in Italien bekannte Futurismus über Europa zu verbreiten. Dafür sorgten Marinetti und Boccioni gleichermaßen, bald unterstützt auch durch Herwarth Walden vom Berliner ›Sturm‹. Eine Ausstellung wurde aufgebaut, die zunächst in Paris, dann in London, Berlin, Brüssel, Den Haag, Amsterdam und Köln sowie schließlich, in leicht reduziertem Umfang, in anderen deutschen Städten, in Österreich, Ungarn und der Schweiz zu sehen war. Ihr Einfluß auf Künstler in anderen Ländern war groß und unmittelbar. In Frankreich nahmen Delaunay, Kupka, Léger, Duchamp und Mondrian Anregungen auf. In England gründeten Wyndham Lewis und C. R. W. Nevinson den futuristischen Ableger des ›Vorticismus‹. In Ungarn wurden Sándor Bortnyik, Béla Uitz und Gizella Dömötör, in Polen die Stiltendenz des ›Formismus‹ berührt. Von Paris aus trugen die Amerikaner John Marin und Joseph Stella (Abb. 21), ein gebürtiger Italiener, den Futurismus in die Neue Welt. Und in Deutschland lassen sich futuristische

21   Joseph Stella, Brooklyn Bridge, 1917

Spuren, ja futuristische Phasen bei August Macke und seinem rheinischen Expressionistenkreis, bei Franz Marc, Lyonel Feininger, Otto Dix, George Grosz, mehreren Künstlern des ›Sturm‹ und der nachfolgenden Berliner ›Novembergruppe‹ feststellen. Die eigenwilligste Sonderform entwickelten die Russen mit dem Kubo-Futurismus.

Kubo-Futurismus

Kaum hatte der Pariser ›Figaro‹ das futuristische Manifest Marinettis veröffentlicht, wurde es ins Russische übersetzt und in der Petersburger Zeitung ›Wetscher‹ (Abend) am 8. März 1909 abgedruckt. Die Wirkung auf die literarische Avantgarde war erheblich. Zu einer Beeinflussung der russischen Maler kam es allerdings erst, nachdem man in Moskau und Petersburg, den beiden Kunstzentren des Landes, Gelegenheit erhalten hatte, neben den Theorien des Futurismus auch dessen bildnerische Praxis kennenzulernen. Das war 1912. Natalia Gontscharowa und Kasimir Malewitsch nahmen ganz betont Elemente der Bewegung und Geschwindigkeit in ihre Bilder auf (Abb. 22), ohne indes die cézannistisch-primitivistische Grundstruktur des frühen Kubismus preiszugeben, die um 1908 in Rußland verbreitet und von

22   Natalia Gontscharowa, Der Radfahrer, 1912/13

ihnen adaptiert worden war. Für den daraus resultierenden Mischstil, in den auch Reste des russischen Neo-Primitivismus eingebracht wurden, fand sich die Bezeichnung Kubo-Futurismus. Zum erstenmal scheinen Werke dieser Art im Rahmen der Ausstellung ›Die Zielscheibe‹ gezeigt worden zu sein, die 1913 in Moskau stattfand und hauptsächlich dem Rayonismus gewidmet war.

Die sogenannte ›Erste Futuristische Ausstellung Tramway W‹ wurde im Februar 1915 in Petrograd (dem inzwischen umbenannten Petersburg) gezeigt. Ihr Titel ist insofern irreführend, als keineswegs alle vertretenen Künstler wirklich Futuristen waren und sich nur ein Teil der Exponate dem Futurismus zurechnen ließ. Das Aushängeschild war nur deshalb gewählt worden, weil ›futuristisch‹ damals in Rußland ebenso gleichbedeutend war mit fortschrittlich, wie im Berliner ›Sturm‹-Kreis das Expressionistische. Trotzdem gab es eine hinreichend repräsentative Beteiligung der russischen Kubo-Futuristen in ihren verschiedenen Stilschattierungen. Hervorzuheben sind Ljubow Popowa, Olga Rosanowa und Nadeschda Udalzowa, auch Alexandra Exter, die im Laufe der folgenden Jahre mit dem Regisseur Tairow das System eines ›Synthetischen Theaters‹ ausarbeitete, und vor allem Malewitsch. Eine stimulierende Wirkung ging jedoch von dieser Veranstaltung nicht mehr aus. Bereits im Dezember desselben Jahres kam es, wiederum in Petrograd, zur zweiten und ›Letzten Futuristischen Ausstellung 0,10‹, an der Malewitsch schon mit suprematistischen Werken teilnahm. 1916 wich der Futurismus in Rußland ganz generell neuen Tendenzen.

Rayonismus

Von 1911 an entwickelten Michail Larionow und Natalia Gontscharowa, seine Frau, eine frühe Spielart der abstrakten Malerei, der sie die Bezeichnung ›Rayonismus‹ gaben. Bilder dieses Stils bestehen aus schilfartigen Strahlenbündeln (Rayons), die sich prismatisch über einen perspektivlosen Flachraum verteilen. Sie können, wie bei Larionows Arbeiten, splittrig-karg und gleichsam tonlos in Erscheinung treten (Abb. 23) oder, wie bei der Gontscharowa, in tropischer Farbfülle aufleuchten und formal einem mathematisch durchgliederten Urwald nahekommen. In jedem Falle gingen die beiden Russen von landschaftlichen Motiven aus, die sie zunehmend stilisierten und abstrahierten. Dabei gelang es ihnen, mit dem scheinbaren, unruhigen Hin- und Herwogen der Linienbündel eine bildimmanente Dynamik zu erzielen, die Parallelen zum Futurismus aufweist, ohne mit diesem im Ursprung verwandt zu sein.

Futuristisch inspiriert hingegen war das Manifest, welches Larionow mit einiger Verspätung 1912 verfaßte und im folgenden Jahr veröffentlichte. »Es lebe unser rayonistischer Malstil«, heißt es da, »der unabhängig von den Formen der Wirklichkeit besteht und sich den bildnerischen Gesetzen gemäß entwickelt. Der Stil der von uns geschaffenen rayonistischen Malerei befaßt sich mit räumlichen Formen, die durch Reflexion sich überkreuzender Strahlen der verschiedenen Gegenstände entstehen, und er beruht auf Formen, die vom Künstler selbst bestimmt werden. Ein Strahl wird auf der Fläche gewöhnlich durch eine farbige Linie dargestellt. Das Wesen der Malerei ist Kombination von Farben, ihre Kraft, die Beziehungen farbiger Massen, die Stärke des Farbauftrags. Die Empfindung einer Art ›vierter Dimension‹ wird durch Höhe, Breite und Dichte der Farbschichten herbei-

23   Michail Larionow, Blauer Rayonismus, 1912

geführt. Nur durch diese kann Malerei, die einer anderen Kategorie angehört, wahrgenommen werden. Darin zeigt sie eine Entsprechung zur Musik und bleibt doch sie selbst.«

Der Rayonismus hat nur wenige Künstler im engsten Umkreis seiner Gründer angezogen, so etwa Wladimir Tatlin, Spuren anderwärts aber kaum hinterlassen. Und Larionow wie die Gontscharowa selbst haben niemals ausschließlich rayonistisch, sondern stets zugleich auch primitivistisch bzw. kubo-futuristisch gemalt. Als sie 1914 erstmals nach Frankreich gingen, erlosch der Rayonismus. Seine Promotoren wandten sich Bühnenausstattungen des ›Ballet russe‹ Sergej Diaghilews zu.

Frühe Abstraktion

Die ›Frühe Abstraktion‹ bezeichnet keinen Stil im schulmäßig eingrenzenden Sinne des Begriffs, sondern die erste Phase einer Entwicklung, die den Bruch mit der Auffassung vom ausschließlich abbildenden Auftrag des Kunstwerkes vollständig machte. Ihre Ursprünge reichen weit zurück ins 19. Jahrhundert, bis hin zu den romantischen Farbtheorien Philipp Otto Runges etwa, der das Gesamtkunstwerk einer »abstrakten, malerischen, phantastisch musikalischen Dichtung« erträumte. William Turner war es, der eine erste bildnerische Lösung für die Befreiung der Farbe aus ihrer gegenstandsbezogenen Funktion fand. Seine Idee sprang über zu Claude Monet, dessen landschaftliche *Impression* von 1872 einer ganzen Kunstbewegung den Namen gab, und 1898 stellte Paul Signac, neben Georges Seurat Wortführer der Neo-Impressionisten, fest: »Turner beweist, daß wir uns freimachen müssen von jedem Gedanken an Nachahmung und Kopie der Natur.«

Bald danach, in unserem Jahrhundert bereits, strebten Matisse und seine Fauvisten einer Malerei »ohne beunruhigende und ablenkende Gegenständlichkeit« zu, worauf in Moskau die ›Himmelblaue Rose‹ positiv reagierte, eine 1906 gegründete Künstlergruppe, der sich später auch Michail Larionow und Natalia Gontscharowa, die beiden Rayonisten, anschlossen. Zur selben Zeit hielt in München der Philosoph Theodor Lipps Vorlesungen über Ästhetik, die den Maler Adolf Hoelzel zu einer Harmonielehre anregten, welche ihre erste Anwendung im Ornament und in der abstrakten Dekoration des Jugendstils fand. In München und

24 Frank Kupka, Philosophische Architektur, 1913

Bonn befaßten sich Franz Marc und August Macke schon mit den abstrakten Sprachmöglichkeiten der Farbe, ehe ihnen Robert Delaunay seine orphistischen Regeln vermittelte. Und Kubismus wie

Futurismus schließlich gaben, ausgerüstet mit den Grundargumenten Cézannes, die letzten Anstöße zur formalen Bewältigung des Problems.

So stand Wassily Kandinsky, als er 1910 in München sein erstes abstraktes Bild, ein Aquarell, malte, nicht allein auf weiter Flur. Vielmehr hatte er Bundesgenossen in allen Lagern und Ländern. Trotzdem darf er vor der Geschichte das Verdienst beanspruchen, die abstrakte Malerei eingeleitet und ihr zum Durchbruch verholfen zu haben. Der gebürtige Russe war es, der die gewonnenen Einsichten nicht nur theoretisch fortentwickelte, sondern sie auch konsequent in eine neue Praxis umsetzte, und dies nicht nur für einen kurzen Zeitabschnitt, sondern auf Dauer (Ft. 11). Vom abstrakten Bildplan, den er 1912 vollends ausgearbeitet hatte, ist Kandinsky nicht mehr gewichen. Sein im selben Jahr erschienenes Buch ›Über das Geistige in der Kunst‹, 1910 verfaßt, wurde zur ersten Farb- und Formlehre der gegenstandsfreien Malerei.

Die frühe Phase der Abstraktion, die von 1910 bis in den Ersten Weltkrieg reichte, entwickelte sich von verschiedenen Ansatzpunkten her und zielte auch in unterschiedliche Richtungen. Ihre wichtigsten Vertreter, die rasch zu spezifischen Ausdrucksformen fanden, sind neben den bereits genannten Künstlern: der Tscheche Frank Kupka, der dem Orphismus nahestand und quasiarchitektonische Vertikal- sowie farbige Flächenbilder malte (Abb. 24), der Franzose Francis Picabia, der kubistische Grundformen abstrahierte, und der Holländer Piet Mondrian, der Liniengerüste komponierte, ehe er die Stijl-Bewegung gründete. Der erste ungegenständlich arbeitende Engländer, Edward Wadsworth, ging von Kubismus und Futurismus aus, während sich der Deutsch-Schweizer Paul Klee im Grenzbereich von Dingwiedergabe und Abstraktion aufhielt. Unter den Italienern geometrisierte Giacomo Balla futuristische Bewegungsprinzipien rhythmisch zu seinen *Irisierenden Durchdringungen,* und Alberto Magnelli stellte kühlfarbene Flächenordnungen her, die an ausgeschnittenes Buntpapier, an gemalte Collagen denken lassen (Abb. 25). Den energischsten Schritt, der nicht weniger folgenreich war als der Kandinskys, wagte der Russe Kasimir Malewitsch, indem er die Stilformel des Suprematismus prägte.

25   Alberto Magnelli, Composition 0530, 1915

Suprematismus

Der Suprematismus entstand in Rußland als frühe Parallele und Variante zur konkret-konstruktivistischen Kunst. Seine Ausdrucksprinzipien, die auf den Gestaltungsmitteln der Geometrie basieren, wurden von Kasimir Malewitsch konzipiert und ausgearbeitet. Dieser Künstler, der von der kubo-futuristischen Malerei herkam, hat die neue Richtung auch als einziger wirklich konsequent vertreten.

Malewitsch proklamierte in mehreren theoretischen Abhandlungen die Befreiung »des Menschen von allem gegenständlichen Gerümpel, das sich in den Jahrtausenden angesammelt« hatte, nicht nur im künstlerischen Bereich. Er stellte das bislang gültige Bezugssystem des Menschen zur Welt in Frage und verkündete: »Mit dem Suprematismus beginnt eine von Plänen und Vorschriften nicht eingeengte Tätigkeit, frei von allen politischen, staatlichen, gesellschaftlichen und gegenständlichen Gesetzen.« Der »Wesensinhalt des Suprematismus« war für ihn »die Ganzheit gegenstandsloser, naturbedingter Erregungen ohne Ziel und irgendwelche Zweckbestimmung«, wobei Malewitsch hinter der profanen Nützlichkeit und Verwendbarkeit aller Dinge und Kräfte, die das menschliche Dasein wie die Kunst regulierten, visionär das von jeglichem Gegenstandsbezug »befreite, schweigende Nichts« ausmachte.

Dieses Nichts war für Malewitsch die Keimzelle seiner neuen Kunst mit ihren eigentümlichen Form- und Farbbeziehungen abstrakter Art. Der Vernunft billigte er jedoch nur eine untergeordnete, allenfalls malerisch-technische Rolle zu. Ausschlaggebend bei der Gestaltung war die Suprematie, d. h. die »Vorherrschaft der reinen Empfindung«, die im Spannungszustand der schöpferischen Erregung gipfelte. Malewitsch: »Nur durch seine Erregbarkeit nimmt der Maler Erscheinungen wahr und versucht, ihre Wirklichkeit auf der Leinwand erkennbar zu machen, indem er sie nach inneren Beziehungen ordnet. Erst dann wird die Feierlichkeit der unendlichen Erregung, die Feierlichkeit des Weltalls spürbar. In der Offenbarung dieser Feierlichkeit liegt der wahre Sinn der Kunst.« Damit erhielten die suprematistischen Bilder die Bedeutung von Meditationsobjekten.

Malewitsch verwendete die geometrischen Elementarformen Viereck und Kreis, denen er bald Trapezoide und Ellipsoide folgen ließ, wahrscheinlich nicht unberührt von den 1913 entstandenen plastisch-räumlichen Materialkonstruktionen seines Landsmannes Wladimir Tatlin. Beziehungen zu Naturwissenschaft und Technik allerdings lehnte Malewitsch strikt ab: »Wie wäre eine Verbindung möglich zwischen Technik und Kunst, da beide im Grunde ihres Wesens so völlig verschieden sind? Die Technik strebt nach dem praktischen Gegenstand, ist befangen in Zeit, Raum und Ziel. Von alledem ist die Kunst frei, sofern sie ihre äußerste Grenze, die Gegenstandslosigkeit, erreicht hat. Zwischen Technik und Kunst liegt die Unvereinbarkeit zweier Glaubensbekenntnisse: des gegenständlichen und des gegenstandslosen.«

Über den zeitlichen Beginn des Suprematismus gibt es keine volle Klarheit, zumal die Streitigkeiten darüber, wem das Erstgeburtsrecht an einer Idee zukommt, gerade im Lager der Russen des öfteren hin und her wogte und nicht selten Jahrzehnte überdauerte. Von Malewitsch selbst stammt die Feststellung: »1913, in meinem verzweifelten Bemühen, die Kunst vom Ballast der gegenständlichen Welt zu befreien, floh ich zur Form des Quadrates.« Nachweisbar gezeigt wurde das *Schwarze Quadrat auf weißem Grund* – welches Malewitsch einmal »die nackte, ungerahmte Ikone meiner Zeit« nannte – aber erstmals auf der letzten Petrograder Futuristen-Ausstellung vom Dezember 1915, während Malewitsch die Februar-Ausstellung desselben Jahres noch mit ausschließlich kubo-futuristischen Arbeiten beschickt hatte. Anzunehmen ist, daß die suprematistische Grundformel erstmals im Theater verwendet wurde, und zwar anläßlich der Uraufführung des Singspiels ›Sieg über die Sonne‹ (Text: Krutschonych; Musik: Matjuschin), das als ›erste futuristische Oper‹ Furore machte. Die Petersburger Premiere fand im Dezember 1913 statt. Über sie berichtet El Lissitzky, Freund und Mitstreiter des Künstlers, in seiner eigenen, demselben Thema gewidmeten und 1923 erschienenen Lithografienmappe: »Malewitsch malte die Dekorationen (der Vorhang = schwarzes Quadrat).« Die Szenerie soll aus anderen suprematistischen Einheiten bestanden haben.

Um Malewitsch bildete sich ein Kreis von Anhängern, zu dem auch Nadeschda Udalzowa, die später seine Frau wurde, Iwan Kljun, Ljubow Popowa und Olga Rosanowa gehörten. Die Zusammenarbeit mit Lissitzky begann 1919 an der Kunstschule von Witebsk, wo beide lehrten. Über Lissitzky beeinflußte der Suprematismus nicht nur die konstruktivistische Malerei ganz Europas, sondern auch die progressive Akademielehre, etwa am Bauhaus. Malewitschs Werke zählen heute zu den Inkunabeln der modernen Kunst.

26 El Lissitzky, Proun I D., 1919

Konstruktivismus

Der Konstruktivismus, im vorrevolutionären Rußland wurzelnd, hat nicht nur der Malerei mächtige Impulse gegeben, sondern der gesamten bildenden Kunst. Er öffnete ihr die Arsenale der Naturwissenschaften und der Technik, er machte ihr die Ingenieurkunst nutzbar wie die moderne Industrieproduktion. Weniger gebunden an die überlieferten Regeln der klassischen Ästhetik, mit denen sich die jungen Künstler in Mittel- und Westeuropa auseinanderzusetzen hatten, konnten die Konstruktivisten sowohl die neuesten wissenschaftlichen Erkenntnisse in ihre Programme einbeziehen als auch die jüngsten Erfindungen der Laboratorien und Konstruktionsbüros. »Die Kunst ist tot – es lebe die Maschinenkunst Tatlins«, lautete eine Devise, die sich auf die revolutionären Leistungen des Schöpfers der ersten konstruktivistischen Werke bezog.

Auf diesem Wege wurde der Konstruktivismus zum Antipoden aller Kunstrichtungen, welche die Malerei durch eine bloße Veränderung der Form- und Farbgesetze erneuern wollten. Im Gegensatz stellte er sich vor allem zum Expressionismus, denn nun hatte nicht mehr das Gefühl zu dominieren, sondern der Verstand, und an die Stelle von Individualismus und Subjektivität traten gesellschaftliche Bezogenheit und die Allgemeinverbindlichkeit der Objektivität. Schließlich riß der Konstruktivismus jene Schranken wieder zu Boden, die sich nach dem Verlust der übergreifenden epochalen Ideen (Renaissance, Barock) im 19. Jahrhundert zwischen den einzelnen Kunstgattungen aufgerichtet hatten, und gegen die der Jugendstil nur mit zeitlich begrenztem Erfolg und der Futurismus mehr theoretisch angegangen war: die Schranken zwischen Malerei, Architektur, Plastik, Theater, Typografie, Buchkunst und Grafik, zu denen sich unterdes noch Fotografie, Film und reproduzierende künstlerische Techniken gesellt hatten. Der Konstruktivismus vereinte sie allesamt zu schöpferischen Aktionseinheiten, um aus der produktiven Gemeinschaft heraus das Gesamtkunstwerk des Industriezeitalters entstehen zu lassen. Henryk Berlewi: Der Konstruktivismus war »die universalistische, kosmopolitische und technizistische Konzeption der Kunst«. Die letzten Höhenflüge des Konstruktivismus blieben, wie wir wissen, Utopie. In vielerlei Ausdrucksbereichen aber hat er dauerhafte, in die Zukunft weisende Gestalt angenommen. So auch in der Malerei.

Kreatives Leitbild des Konstruktivismus, der neue Realitäten erschließen wollte, war nicht der Künstler, sondern der Ingenieur. El Lissitzky, wichtigster Promotor des neuen Stils, selbst diplomierter Architekt, schrieb: »Die Technik hat auf den neuen Künstler ihre Wirkungen ausgeübt. Wir haben auf einmal gesehen, daß die Plastik in unserer Zeit nicht vom Künstler geschaffen wurde, sondern vom Ingenieur. Die Vitalität, die Einheitlichkeit, die Monumentalität, die Exaktheit und vielleicht die Schönheit der Maschine waren eine Mahnung für den Künstler.« Mathematik und Physik, Geometrie und Stereometrie fanden jetzt unmittelbaren Zugang zu den Ateliers und dies sowohl als malerische Ordnungsprinzipien wie als bildnerische Gestaltungselemente.

Basierend auf den dreidimensionalen Erprobungen aus Holz, Glas und Metall, mit denen Wladimir Tatlin 1913 unter dem Eindruck der Raumcollagen Picassos begonnen und denen er jeweils den Titel *Konstruktion* gegeben hatte, beeinflußt aber vor allem vom lapidaren geometrischen Bildplan Malewitschs, formte Lissitzky 1919 die ersten konstruktivistischen Arbeiten aus. Es waren Gemälde, die er »Prounen« nannte, abgeleitet vom russischen Kürzel Pro Unowis, zu deutsch: Für eine Erneuerung in der Kunst. »Ich schuf«, so Lissitzky, »den Proun als Umsteigestation aus der Malerei in die Architektur.« Damit unterstrich er, daß für ihn die metaphysische Bildwelt des Suprematismus

27   Henryk Berlewi, Mechano-Faktur-Element (Weiß auf Schwarz), 1923

überwunden war. Erobern wollte er die konkrete Unendlichkeit.
»Es kommt auf die Gliederung des Raumes durch Linie, Ebene,
Volumen an. Keine nach außen abgeschlossenen Einzelkörper,

28   László Moholy-Nagy, Auf weißem Grund, 1923

sondern Beziehungen und Verhältnisse.« Tatsächlich lassen die
Prounen Lissitzkys einen Bildbau »nach architektonischen Gesetzen« erkennen. Sie bestehen aus halb geometrischen, halb stereo-
metrischen Formationen, die vom Reißbrett auf die Leinwand
übertragen wurden, wo sie sich zu einem in latenter Bewegung
befindlichen Körper- und Kräftesystem vereinen (Abb. 26).

29   Friedrich Vordemberge-Gildewart, Komposition Nr. 19, 1926

Die Stilbezeichnung Konstruktivismus entstand 1921 mit Bildung der Künstlergruppe der Konstruktivisten. Ihr Zentrum waren die Höheren künstlerisch-technischen Werkstätten (Wchutemas) in Moskau, an denen Lissitzky die Leitung der Architekturfakultät übernommen hatte. Die ursprünglich damit verbundenen Absichten ließen sich allerdings nicht verwirklichen. Noch im selben Jahr verkündete Lenin für die Sowjetunion den Beginn der ›Neuen Ökonomischen Politik‹, die Kunst nur noch als Mittel der Massenbeeinflussung zuließ. Alsbald wurde die progressive Kunst der Revolutionszeit als ›formalistisch‹ verketzert und unter Stalin dann vollends verboten. Die Konstruktivisten wichen in die angewandte Kunst aus. Sie schufen Plakate, Buchumschläge, Illustrationen, Werbegrafik, und sie richteten, wie Lissitzky, sowjetische Ausstellungen im In- und Ausland ein. Auf diesem Wege gelang es Lissitzky auch, die Maler des Konstruktivismus, darunter Alexander Rodtschenko, Jurij Annenkow, Alexander Drevin, Ljubow Popowa und andere, international bekannt zu machen. Erste Gelegenheit dazu bot sich im Rahmen der unterdes berühmt gewordenen russischen Kunstausstellung, die im Dezember 1922 in der Berliner Galerie van Diemen stattfand. Sie vereinte mehr als 600 Exponate fast eines ganzen Jahrzehnts. Die konstruktivistischen Werke lösten unter den westlichen Künstlern, die in Scharen nach Berlin kamen, eine fast euphorische Resonanz aus. Wie ein Buschfeuer verbreiteten sich die kühnen Ideen der Russen über halb Europa, wobei sie meist auf Entwicklungen trafen, die lokal bereits in ähnlicher Richtung eingeleitet worden waren. Das gilt insbesondere für Polen, Ungarn und Deutschland, peripher auch für die skandinavischen Länder und Italien, während der Westen des Kontinents in den Einflußbereich des holländischen Stijl geriet oder, wie in Paris, zu vergleichsweise selbständigen Lösungen kam.

In Polen gründeten Henryk Berlewi (Abb. 27), Wladislaw Strzeminski und Henryk Stazewski 1924 die Konstruktivistengruppe ›BLOK‹. In Ungarn hatten sich Lászlò Moholy-Nagy (Abb. 28), Lajos Kassák, Alexander Bortnyik und Lászlò Peri bereits seit 1917 um die von ihnen herausgegebene Zeitschrift ›MA‹ gesammelt. In Deutschland bewegten sich Friedrich Vordemberge-Gildewart (Abb. 29), Erich Buchholz, Carl Buchheister, Max Burchartz, Werner Graeff, Walter Dexel (Abb. 30), Karl Peter Röhl, zeitweise auch Willi Baumeister auf der Linie des Konstruktivismus bzw. der Konkreten Kunst, während Hans Richter und Viking Eggeling dasselbe Konzept in ihre abstrakten Filme übertrugen. Genannt seien noch der Italiener Luigi Veronesi, der

9 Robert Delaunay   Die Mannschaft von Cardiff, 1912/13

10 Umberto Boccioni   Der Lärm der Straße dringt in das Haus, 1911

11 Wassily Kandinsky Improvisation 10, 1910

12 Kasimir Malewitsch Gelb, Orange, Grün, um 1914

13 Piet Mondrian Komposition, um 1922

14 Paul Klee Burggarten 188, 1919

15 Oskar Schlemmer Gruppe am Geländer I, 1931 ▷

16 Kurt Schwitters Konstruktion für edle Frauen, 1919

sich ausdrücklich auf das Vorbild Lissitzkys berief, und die Belgier Victor Servranckx (Abb. 31) und Félix de Boeck, die trotz der geographischen Nähe des Stijl von der Entwicklung in Deutschland offenbar nicht unberührt blieben. Insgesamt allerdings tendierten die Künstler in Mittel-, West- und Südeuropa Ausdrucksformen zu, die die mathematisch-geometrischen Grundlagen zwar beibehielten und weiterentwickelten, nicht aber die ursprünglich damit verbundene Raumkonzeption der Russen. Das hat dem Begriff des Konstruktivismus eine neue, nicht durchweg überzeugende Orientierung gegeben. Aus diesem Grunde bildete sich nach und nach die Bezeichnung ›konstruktive‹ oder ›konkrete Kunst‹ bzw. Malerei heraus.

30 Walter Dexel, Komposition, 1962, nach einer Skizze von 1923

31   Victor Servranckx, Opus 57, 1923

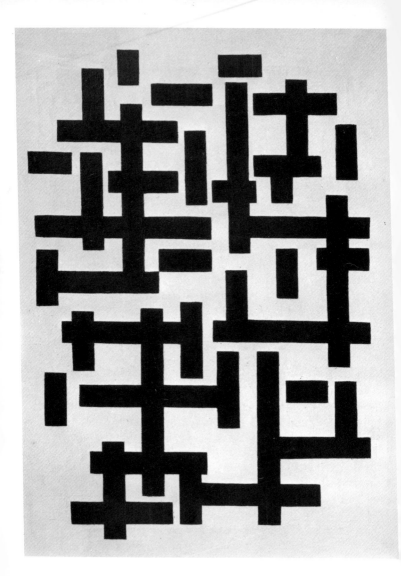

32 Theo van Doesburg, Komposition in Schwarz und Weiß, 1918

De Stijl und Neoplastizismus

Der holländische ›Stijl‹ (Stil) war nicht weniger universalistisch ausgerichtet als sein russisches Pendant, der Konstruktivismus. Auch er trat in schöpferische Korrespondenz mit der Unendlichkeit, begegnete im Weltenraum aber nicht den technischen Visionen von Künstler-Ingenieuren, sondern einem philosophischen System aus »zwei grundlegenden Gegensätzen, die unsere Erde und alles Irdische formen. Es sind die horizontale Kraftlinie der Erde um die Sonne und die vertikale Strahlenbewegung der Erde, die im Mittelpunkt der Sonne ihren Ursprung hat.« Diese Lehre von der mathematischen Struktur des Universums, ausgearbeitet von Schoenmaekers, einem holländischen Theosophen, wurde zu einer entscheidenden Voraussetzung für die Ausbildung der Stijl-Ästhetik und damit der Stijl-Kunst.

Die führende Gestalt der neuen Bewegung war Piet Mondrian (Ft. 13). Streng calvinistisch erzogen, brachte er puritanische Gesinnung und mystisches Pathos in seine Malerei ein. Als er 1912 in Paris den synthetischen Kubismus kennenlernte, der gerade seinem Höhepunkt entgegenstrebte, war Mondrian von der mathematischen Genauigkeit und von der Logik des Prinzips über alle Maßen beeindruckt. Ordnung, Disziplin, Gesetzmäßigkeit und sensible Nüchternheit kennzeichneten fortan seine eigene Malerei. Das schlug sich bereits 1913 in Bildern nieder, die überwiegend aus waagerechten und senkrechten Linien bestanden und für welche Apollinaire die Bezeichnung ›abstrakter Kubismus‹ kreierte. Sie schufen das Fundament des Stijl.

Als Mondrian während des Ersten Weltkriegs in seiner Heimat weilte, traf er dort auf Künstler, die ähnliche Absichten verfolgten. Auch sie fühlten sich getragen vom Bekenntnis zu einer göttlich geordneten Welt, die durch das Kunstwerk menschlich erfahrbar werden sollte. Zu ihnen gehörten die Maler Theo v. Doesburg (Abb. 32), Bart v. d. Leck, der aus Ungarn gebürtige Vilmos Huszár und der belgische Maler-Bildhauer Georges Vantongerloo. Hinzu traten der Dichter Antonie Kok sowie die Architekten J. J. P. Oud, R. van't Hoff und Jan Wils. Sie gründeten die Künstlergruppe ›De Stijl‹ und gaben gleichzeitig, im Oktober 1917, die erste Nummer einer Zeitschrift mit demselben Titel heraus. Sie erschien bis 1931. 1925 schlossen sich der Gruppe noch César Domela und der Deutsche Friedrich Vordemberge-Gildewart an.

Das erste Manifest des Stijl wurde im November 1918 veröffentlicht. Es forderte die Befreiung des Menschen aus jenen Verhängnissen, in die Willkür, Zufall und Individualismus ihn immer wieder verstrickt hätten. »Es gibt ein altes und ein neues Zeitbewußtsein. Das alte richtet sich auf das Individuelle, das neue auf das Universelle.« Eine politische oder auch nur ausgeprägt soziale Orientierung, wie bei den Russen, gab es nicht. Van Doesburg 1923: »Kunst, wie wir sie verstehen, ist weder proletarisch noch bürgerlich. Sie ist auch nicht durch die gesellschaftlichen Umstände bedingt, sondern entwickelt vielmehr Kräfte, die ihrerseits die ganze Kultur bestimmen.«

1920 taufte Mondrian die Stijl-Malerei ›Neoplastizismus‹, worunter er allerdings keine Kunst der dreidimensionalen Körperlichkeit verstanden wissen wollte, sondern »eine mit Genauigkeit dargestellte ästhetische Beziehung«. Als »eine Konsequenz aller Plastik der Vergangenheit« würde sie gerade deshalb »in der Malerei konstruiert, weil diese die am wenigsten an den Zufall gebundene Kunst« sei. Den Charakter des Bildes bestimmten Proportion und Gleichgewicht, denen sowohl optisch-sinnliche Werte beigemessen wurden als auch geistig-ethische. Durch das Gleichgewicht aller Teile im Bild wollten Mondrian und seine Freunde die Unruhe, das ›Tragische‹ aufheben und eine universale Harmonie sichtbar machen, die vom Erscheinen des neuen, des »geistigen Menschen« kündete.

Bestandteile dieser Malerei wurden gerade Linie, Vertikale, Horizontale, rechter Winkel, Quadrat, Rechteck sowie die Primärfarben Blau, Rot und Gelb und die Nichtfarben Schwarz, Weiß und Grau. In den frühen zwanziger Jahren erreichte die Stijl-Malerei bei Mondrian ihren reinsten Ausdruck. Das erregend Neue an diesen Bildern war, daß sie zum ersten Male in der Kunstgeschichte das Gleichgewicht aus der Asymmetrie heraus schufen und damit die uralte Herrschaft der statisch-starren Symmetrie beseitigten. Zu entsprechenden Lösungen kamen auch die anderen Stijl-Maler.

Der Einfluß der Stijl-Kunst auf die holländische Architektur erwies sich als groß, gerade im Hinblick auf das Prinzip der Asymmetrie. Es schlug sich im ›Neuen Bauen‹ der zwanziger Jahre nieder, aber auch in Typografie, Gebrauchsgrafik und allen funktionalen Gestaltungen. Vom deutschen Bauhaus wurden viele der Stijl-Impulse übernommen und aktiviert.

33   Lyonel Feininger, Gelmeroda IX, 1926

Bauhaus

»Das Bauhaus erstrebt die Sammlung alles künstlerischen Schaffens zur Einheit, die Wiedervereinigung aller werkkünstlerischen
Disziplinen – Bildhauerei, Malerei, Kunstgewerbe und Handwerk – zu einer neuen Baukunst als deren unablösliche Bestandteile. Das letzte, wenn auch ferne Ziel ist das Einheitskunstwerk – der große Bau –, in dem es keine Grenze gibt zwischen
monumentaler und dekorativer Kunst.« Diese Sätze leiten das
›Programm des Staatlichen Bauhauses in Weimar‹ ein, welches
im April 1919 von dem Architekten Walter Gropius gegründet
wurde. Das Bauhaus hat keinen eigenen künstlerischen Stil kreiert, aber durch den Geist, in dem an ihm gelehrt und gelernt
wurde, sowie durch die Strahlkraft, die von seiner Idee ausging,
hat es anregend und sogar lenkend in die Kunstentwicklung der
zwanziger Jahre, zumal in Deutschland, eingegriffen.
Das Bauhaus, das sich stets auch zur sozialen Verantwortlichkeit bekannte, wurde Schauplatz fruchtbarer Diskussionen um
neue künstlerische Konzepte, und es diente allen progressiven
Strömungen, sofern sie zum Konstruktiv-Gestalterischen tendierten, als Plattform ständigen Begegnens. Das gilt insbesondere für
den russischen Konstruktivismus und den holländischen Stijl mit
ihren europäischen Ausstrahlungen.
Inspiriert vom anonymen Gemeinschaftswerk der mittelalterlichen Bauhütten, bezogen auf den alle Kunstgattungen umgreifenden Jugendstil, unmittelbar anknüpfend jedoch an das Arbeitsethos des 1907 gegründeten ›Deutschen Werkbundes‹ proklamierte das Bauhaus eine Synthese von Kunst und Handwerk

auf der Basis gediegener werkstattmäßiger Ausbildung. Nach und nach wurden auch Architekturlehre und Baupraxis hinzugezogen. Bezeichnend für die Verwurzelung in der Tradition ist, daß sich die Angehörigen des Instituts über ein Jahrzehnt hinweg nicht Professoren und Studenten nannten, sondern Meister, Jungmeister, Gesellen und Lehrlinge.

Das Bauhaus, 1925 nach Dessau verlegt und 1932 nach Berlin, wo es im Juli des folgenden Jahres, als ›Brutstätte des Bolschewismus‹ diffamiert, schließen mußte, hat sowohl der schöpferischen Ausbildung gedient als auch dem Experiment. Man prüfte die Brauchbarkeit moderner Materialien und ihre funktional-ästhetische Anwendbarkeit. Versuche galten nicht zuletzt der Serienproduktion, von der bald ganze Industrien profitierten.

Zu den markantesten Leistungen von Walter Gropius gehört es, daß es ihm gelang, Künstler, die bereits einen Namen hatten, für das Bauhaus zu gewinnen, und junge Kräfte anzuziehen, die es bald zu Ansehen und Geltung bringen sollten. Die persönliche Aura dieser Meister bestimmt bis heute sehr wesentlich das Ansehen des Bauhauses in der Welt. Damals unterrichteten sie in den einzelnen Werkstätten als ›Meister der Form‹, wobei ihnen Handwerksmeister technisch verantwortlich zur Seite standen. Den Vor- oder Elementarkurs leitete zunächst Johannes Itten, dann László Moholy-Nagy, der zugleich die Metallwerkstatt betreute, und schließlich Josef Albers. Der Druckerei stand Lyonel Feininger vor, der Töpferei Gerhard Marcks und der Weberei Georg Muche. Wassily Kandinsky und Paul Klee lehrten in den Werkstätten Wand- bzw. Glasmalerei, und Oskar Schlemmer war sowohl für die beiden Bildhauerklassen (Holz und Stein) als von 1923 an auch für die Bauhausbühne verantwortlich, nachdem Lothar Schreyer, dessen expressionistische Szenenpraxis keinen Beifall gefunden hatte, ausgeschieden war.

Kandinsky hat während seiner Bauhaus-Jahre die ›kühle Periode‹ seines geometrischen Spätstils ausgebildet, zu dem er seit seiner persönlichen Begegnung mit Suprematismus und Konstruktivismus bereits in Rußland gelangt war. Paul Klee, Maler und Musiker, auch ›Dichter, Naturforscher, Philosoph‹, wie er selbst sagte, entfaltete sein unübersehbar reiches Werk zwischen

34 Alexander Bortnyik, Stilleben mit Lampe, 1923

den Polen träumender Naivität und höchster Spiritualität
(Ft. 14). Seine Schöpfung ist »der nicht nur imaginierte, sondern
auch genau durchdachte, exakt geplante Entwurf einer mög-

lichen Welt außerhalb der unseren« (Karl Ruhrberg). Oskar Schlemmer, der schon seit seinen Tagen im ›Stuttgarter Kreis‹ um Adolf Hoelzel den »körpermechanischen, den mathematischen Tanz« propagierte, übertrug nun die Erfahrungen, die er im Umgang mit Raum, Form, Farbe, Ton, Bewegung und Licht gewonnen hatte, in seine Malerei (Ft. 15). Und Feininger endlich, der es liebte, mit dem Rad durch die mitteldeutsche Landschaft zu fahren, setzte die Reihe seiner kristallinen Erinnerungen an Kleinstädte und Dörfer fort (Abb. 33).

Die nachhaltigsten Wirkungen sind vom Elementarunterricht ausgegangen. Er hat die Grundlehre an praktisch allen modernen Kunstschulen und Akademien Deutschlands bestimmt. Nicht unterschätzt werden können aber auch die Einflüsse der Bauhaus-Bücher, unter denen das ›Pädagogische Skizzenbuch‹ von Paul Klee, Kandinskys ›Punkt und Linie zu Fläche‹ sowie die beiden Niederschriften Moholy-Nagys, ›Malerei, Photographie, Film‹ und ›Von Material zu Architektur‹, besonders zu nennen sind. Von ihnen führt der direkte Weg nach Chicago, wo Moholy-Nagy nach seiner erzwungenen Emigration 1937 das ›New Bauhaus‹ und zwei Jahre später die ›School of Design‹ gründete. In Ungarn eröffnete Alexander Bortnyik 1928 eine private Werkstatt (= »Mühely«) für angewandte Grafik, die als ›Budapester Bauhaus‹ bekannt wurde und bis 1938 bestand (Abb. 34).

Purismus

Der Purismus war ein französischer Versuch, die Geometrie für das nach rationalen Gesichtspunkten durchgegliederte Bild zu gewinnen. Seine Wirkung allerdings blieb im wesentlichen auf fruchtbare Problemerörterungen beschränkt.

1918 veröffentlichten Amedée Ozenfant und Edouard Jeanneret, der sich als Architekt später Le Corbusier nannte (Abb. 35), in Paris das Manifest ›Après le cubisme‹ (Nach dem Kubismus). Darin protestierten sie gegen die inzwischen erfolgte Verwässerung des ursprünglich präzisen Formkonzepts der kubistischen Malerei. Sie wandten sich gegen die dekorativ-anekdotischen Tendenzen, welche bereits während der synthetischen Spätphase des Kubismus und auffallender noch beim Orphismus sichtbar geworden seien. Und sie stellten fest, daß sich die Hereinnahme von Zufälligem, Gefühlsbestimmtem und Impressionistischem immer mehr ausweitete. Die Forderungen der Künstler, wiederholt formuliert auch in ihrer resonanzkräftigen Zeitschrift ›Esprit Nouveau‹, lauteten deshalb: Rückkehr zur Genauigkeit der Gestaltungsmittel, Herstellung eines ästhetischen Gegenbildes zum Schaffen der Ingenieure und zum Maschinenzeitalter schlechthin: »Natürliche Ordnung erscheint dort, wo die sichtbaren Elemente der Natur sich uns unter dem Aspekt der Geometrie zeigen.«

Theoretisch hätte das eine Parallelentwicklung vornehmlich zum holländischen Stijl herbeiführen können, denn die angestrebten geometrischen Standardisierungen stützten sich auf die Verwendung der Horizontalen und der Vertikalen im Bild. In der Praxis jedoch ließen die Puristen Dingelemente zu, die von

Maschinendetails oder vom kubistischen Stillebenarsenal mit Flasche, Glas und Karaffe (auch bei Alexandra Exter) inspiriert waren, wodurch eine Lösung vom Gegenständlichen unterblieb.

1920 kam Fernard Léger mit dem Purismus in Kontakt, zwei Jahre später Willi Baumeister, der gerade bei seiner Serie der ›Mauerbilder‹ war. Das Fazit für beide, festgehalten von Léger, lautete indes bald: »Der Purismus hat mich nicht berührt, eine allzu magere Angelegenheit für mich, diese abgeschlossene Welt. Aber es war doch nötig, daß es gemacht wurde, daß man zum Äußersten ging.«

35   Le Corbusier, Stilleben mit gestapelten Tellern, 1920

Konkrete Kunst

36   Max Bill, Variation 1., 1935

1930 veröffentlichte Theo van Doesburg in der von ihm heraus-
gegebenen Pariser Kunstzeitschrift ›Art Concret‹ ein Manifest,
welches forderte, anstatt des bis dahin auch für die geometrische
Kunst gebrauchten Begriffs ›abstrakt‹ die Bezeichnung ›konkret‹
zu verwenden. Die Gestaltung eines Kunstwerkes nach den Gesetzen der Mathematik, so van Doesburg, gehe nicht von einem
Abstraktionsvorgang aus, sondern basiere auf dem unmittel-

baren Umgang des Künstlers mit den konkreten Bildmitteln Fläche, Linie, Volumen, Raum und Farbe. An die Stelle der individuellen malerischen Handschrift seien zugleich objektive Ordnungseinheiten wie Maß und Zahl getreten. Schon vom Begrifflichen her müsse jegliche Assoziationsmöglichkeit zu Naturformen hin ausgeschlossen werden.

Der Vorschlag van Doesburgs fand unter den Geometrikern ein positives Echo und führte im Februar 1931 zur Gründung der Interessengemeinschaft ›Abstraction-Création‹ (Abstraktion-Schöpfung), deren Mitglieder keineswegs nur in Frankreich beheimatet waren. Als Vorgängerin ist die bereits 1929 gegründete Gruppe ›Cercle et Carré‹ (Kreis und Quadrat), der allerdings nur ein kurzes Dasein beschieden war, zu werten. Beide Vereinigungen haben durch das geschlossene Auftreten ihrer Künstler in Ausstellungen und Publikationen wesentlichen Einfluß auf die Durchsetzung der konstruktiven bzw. konkreten Kunst neben der expressiven Abstraktion genommen. Zu den beteiligten Malern gehörten Hans Arp, Jean Gorin, Auguste Herbin, die beiden Delaunays, Fernand Léger, Jean Hélion und Albert Gleizes aus Frankreich, Sophie Taeuber-Arp und Le Corbusier aus der Schweiz, Willi Baumeister, Carl Buchheister, Friedrich Vordemberge-Gildewart, Otto Freundlich, Kurt Schwitters und Josef Albers aus Deutschland, die gebürtigen Russen Wassily Kandinsky und Serge Charchoune, Piet Mondrian, Theo van Doesburg, César Domela und Bart van der Leck aus den Niederlanden, Michel Seuphor und Georges Vantongerloo aus Belgien, Edward Wadsworth und Ben Nicholson aus Großbritannien, Enrico Prampolini, Alberto Sartoris, Osvaldo Licini, Luigi Veronesi, Mauro Reggiani und Atanasio Soldati aus Italien, die Tschechen Frank Kupka und Jiří Jelinek, der Ungar László Moholy-Nagy, die Polen Wladyslaw Strzeminski und Henryk Stazewski sowie Katherine Dreier aus den USA. Einer der entschiedensten Vertreter der konkreten Kunst, der sich wiederholt theoretisch äußerte und 1944 die Zeitschrift ›abstrakt/konkret‹ gründete, wurde der Schweizer Max Bill. In seinen Bildern sind die geometrischen Einzelelemente schablonisiert und damit austauschbar (Abb. 36).

Dadaismus

Dada lebte und schockierte von 1916 bis 1922. Es »war nicht eine Kunstbewegung im herkömmlichen Sinne, es war ein Gewitter, das über die Kunst jener Zeit hereinbrach wie der Krieg über die Völker«. So Hans Richter, ein aus Distanz Beteiligter: »Es entlud sich ohne Vorwarnung in einer schwülen Atmosphäre der Sättigung und hinterließ einen neuen Tag. Dada hatte keine einheitlichen formalen Kennzeichen wie andere Stile. Aber es hatte eine neue künstlerische Ethik, aus der dann, eigentlich unerwartet, neue Ausdrucksformen entstanden.«

Die Dadaisten waren die ersten Künstler unseres Jahrhunderts, die bewußt Anti-Kunst machen wollten. Sie verstanden ihre explosiven Erregungen vielmehr als einen »Ausbruch von Lebensfreude und Wut« (Max Ernst). Dada war die anarchische Empörung über das große Völkermorden, genannt Erster Weltkrieg, sowie über jene »Zivilisation, die das hervorgebracht hatte« (Max Ernst). Dada stemmte sich gegen den verblendeten Patriotismus in allen Ländern, der Blut, Leid und Tränen nach sich zog, und es attackierte die verlogenen Versuche seiner Rechtfertigung. Dada war ein internationaler Aufstand wider den Pulverdampf, der die halbe Welt verpestet hatte. Tristan Tzara: »Die Anfänge von Dada waren die Anfänge eines Ekels.«

Dada aber wandte sich auch gegen scheinbar ›friedliche‹ Mißstände. Sarkastisch ging es mit dem reglementierten Alltag und der fortschrittsgläubigen Selbstzufriedenheit ins Gericht. Bei allem indes entsprang die Bürgerschreckattitüde, in die Dada seinen Zynismus verpackte, keinem berufmäßigen Revoluzzertum. »Unsere Provokationen, Demonstrationen und Oppositionen waren nur ein Mittel, den Spießer zur Wut und durch die Wut zum beschämten Erwachen zu bringen. Was uns eigentlich bewegte, war nicht so sehr der Krach, der Widerspruch, sondern die ganz elementare Frage nach dem Wohin?« (Hans Richter). In diesem Sinne war Dada zutiefst moralisch und hatte sogar eine Art hauseigener Religiosität, die Hans Arp umschrieben hat: »Dada ist die Revolte der Ungläubigen über den Unglauben. Dada ist die Sehnsucht nach Glauben«, eine Waffe auch gegen die »alberne, verstandesmäßige Erklärung der Welt«.

Dada hielt es mit dem Absurden und verehrte die Paradoxie. Es wollte die Perfektion zerstören und dem ›Gesetz des Zufalls‹, das Schlagwort wurde, Geltung verschaffen. Dada verfremdete die Wirklichkeit und rückte sie dadurch ins um so grellere Licht. Hans Arp: »Dada ist gegen das Hintersinnen über die Leere. Es ist für den Traum, die bunten Papiermasken, Kesselpauken, Lautgedichte, Konkretionen, Poèmes statiques, für Dinge, die nicht weit vom Blumenpflücken und Blumenbinden entfernt sind.« Dada lenkte künstlerische Höhenflüge zur Erde zurück.

Im Entstehen nahm Dada Impulse von Expressionismus, Kubismus und Futurismus auf. Es bündelte diese mit seinen eigenen Absichten und etablierte sich als Anti-Kunst, die rasch die meisten Bereiche der überlieferten Kunst ergriff. Dada äußerte sich in alogischen Simultandichtungen, in lärmender, ›bruitistischer‹ Musik, in improvisierten Bühnenauftritten und betont chaotischen Manifesten. Dada verwendete Flugblätter, Plakate und Reklamezettel, deren Typografie willkürlich durcheinander gebracht war, es entwickelte dynamische Fotomontagen, deren dokumentarische Details satirisch umgedeutet wurden. Vor allem aber entdeckte Dada die Collage als das ihm angemessenste Ausdrucksmittel. Es führte die kubistische Erfindung zur Vollendung, indem es die Klebeteile aus dem Dienst im gemalten Bild befreite. Von Dada an war die Collage als Medium autonom geworden.

Die Geburt von Dada fand offiziell am 3. Februar 1916 im Cabaret Voltaire in Zürich statt, als die Dichter Hugo Ball, Tristan Tzara und Richard Huelsenbeck mit den Malern Marcel Janco und Hans Arp die erste literarische Demonstration neuer

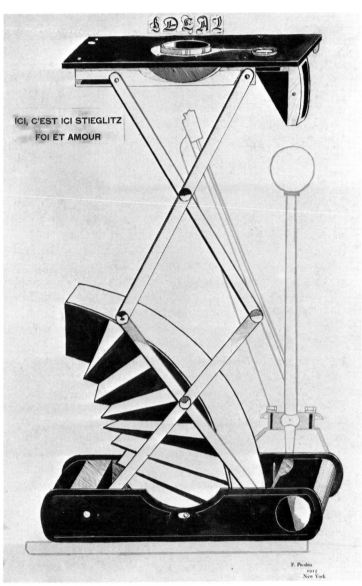

37 Francis Picabia, Ici, c'est ici Stieglitz, 1915

Art darboten. Sie gaben ihrem Kind auch den Namen: »Ganz irrationell wurde das Wort Dada durch Stochern mit einem Zahnstocher in dem französischen Lexikon ›Le Petit Larousse‹ gefunden«, berichtete Hans Arp später. Dada wurde zu einem Güte- und Verständigungszeichen, das nirgendwo der Übersetzung bedurfte. Es wurde auch von New York adaptiert, wo Marcel Duchamp und Francis Picabia die Galerie des Fotografen Alfred Stieglitz an der Fifth Avenue Nr. 291 zum Aktionszentrum erkoren hatten. Bereits im Vorjahr, 1915 also, konnte Picabia einige seiner ›mechanischen Zeichnungen‹ in Stieglitz' Zeitschrift ›291‹ veröffentlichen (Abb. 37).

In Berlin trat Dada von 1918 an in Erscheinung, politisch aggressiver als anderswo. Damit verbunden sind die Namen Raoul Hausmann, Hannah Höch, George Grosz sowie die der Brüder Wieland Herzfelde und John Heartfield. Dada in Köln bestimmten Max Ernst und Hans Arp. Hannover-Dada erhielt durch den intensiven Einzelgänger Kurt Schwitters ganz eigenes Profil. Schwitters ›entformte‹ bereits vorhandene Materialien, indem er sie bog, glättete, auseinandernahm, überdeckte oder übermalte und daraus seine berühmt gewordenen MERZ-Bilder gewann: »Ich nannte meine neue Gestaltung mit prinzipiell jedem Material MERZ. Das ist die 2te Silbe von Kommerz. Es entstand bei einem Bilde, auf dem unter abstrakten Formen das Wort MERZ zu lesen war, aufgeklebt und ausgeschnitten aus einer Anzeige der KOMMERZ- und PRIVATBANK. Später erweiterte ich die Bezeichnung MERZ erst auf meine Dichtung und endlich auf all meine entsprechende Tätigkeit. Jetzt nenne ich mich selbst MERZ.« Schwitters ist dem Dadaismus und der Collage bis zu seinem Lebensende treu geblieben (Ft. 16).

Die Pariser Dada-Bewegung wurde nahezu ausschließlich zu einer Sache der Literaten, nicht der bildenden Künstler. Vom Literarischen her erfolgte auch der Brückenschlag zum Surrealismus. Die künstlerischen Wirkungen allerdings reichten weit darüber hinaus. Sie führten nach dem Zweiten Weltkrieg bis zur Pop Art und zu bildnerischen Material-Assemblagen, die die Sammelbezeichnung Neo-Dadaismus erhielten. Ein eigener Stil hat sich daraus jedoch nicht entwickelt.

Pittura metafisica

»Damit ein Kunstwerk wahrhaft unsterblich ist, muß es die Grenzen des Menschlichen verlassen. Der gesunde Menschenverstand und das logische Denken sind fehl am Platze. Das wirklich tiefgründige Werk muß vom Künstler aus den entlegensten Tiefen seines Wesens emporgehoben werden: Dorthin gelangt kein Rauschen eines Flusses, kein Lied eines Vogels, kein Rascheln des Laubes.« Diese Sätze notierte Giorgio de Chirico während jener Jahre, in denen er die ›Pittura metafisica‹ schuf, den bedeutendsten Beitrag, den Italien neben dem Futurismus zur modernen Malerei geleistet hat.

Die Bilder de Chiricos entstanden zwischen 1911 und 1919 (Ft. 17), die Werke des Ex-Futuristen Carlo Carrà, der dem Beispiel des Jüngeren folgte, seit 1917. Beide, die sich im Januar 1917 im Lazarett von Ferrara erstmals begegnet waren, vereinbarten damals, ihre Malerei ›Pittura metafisica‹ zu nennen. Sie und Giorgio Morandi (Abb. 58), der kurze Zeit später zu ihnen stieß, blieben die einzig namhaften Vertreter dieses Stils. Keiner allerdings hat de Chirico an visionärer Intensität erreicht oder gar übertroffen.

Die ›metaphysische Malerei‹ wurde von den Grundregeln des Klassischen bestimmt, von raumgreifenden Perspektiven, wie Renaissance und Barock sie kannten, und von Architekturen, die schon Giotto oder Mantegna, Uccello oder Piero della Francesca, den frühesten unter den Großen der italienischen Kunst, zur Staffage gedient haben könnten. Geist und Atmosphäre der neuen Bilder allerdings gerieten in völligen Widerspruch dazu, indem sie die Philosophie der deutschen Romantik und die Stimmungswerte der Malerei Arnold Böcklins in sich aufnahmen. Die Bilder machten Unwirkliches gegenwärtig und ließen Harmonie, »Solidität und Gleichgewicht«, wie de Chirico sagte, zu schwermütig-melancholischen Träumen gerinnen. Aus der Zusammenfügung der Dinge, die im einzelnen durchaus realistisch blieben (man erkennt sogar Turin und Ferrara als Vorbild), formte sich eine Welt der kühlen, unterkühlten Irrealität.

Die Szenerie ist poetisch-beklemmend: Entvölkert die Straßen, leergefegt die Plätze. Scharf schlagen Schatten herein, ausgelöst von einem merkwürdig fahlen Licht, das künstlicher Beleuchtung entstammen kann wie Sonnenfinsternissen. Nirgendwo der Hauch atmenden Lebens. Bedrücktes Schweigen ringsum. Windstille und Lautlosigkeit künden vom ewigen Nichts. »Es ist die Stille und die unsinnliche Schönheit der Materie, die mir metaphysisch erscheint. Und metaphysisch erscheinen mir die Dinge, die durch die Klarheit der Farbe und Genauigkeit ihrer Maße die Gegenstücke zu jeder Wirrnis und Verschwommenheit sind« (de Chirico). Der Maler sagte auch: »Alles in der Welt muß man sich als Rätsel vorstellen.«

Längst hat sich der Mensch aus den Bildern zurückgezogen. Nur noch stellvertretend ist er präsent durch Statuen, Torsi und Figuren, die in bedrängender Vergessenheit einem Ereignis entgegenwarten, das nie eintreten wird. Von den Schneiderpuppen und Marionetten kam ihre Gestalt, die gesichtslose Anonymität mit den leeren Körpern.

Der Betrachter fühlt sich in die unheile Welt Kafkas versetzt, auch in Kasacks ›Stadt hinter dem Strom‹, in der Tote als Marionetten agieren, irdische Handlungen wiederholend, die keinen Sinn mehr haben und kein Ziel. Mit der metaphysischen Malerei gelangten de Chirico und die Seinen bis an die Schwelle zum Reich des Unbewußten. Überschritten wurde sie bald darauf von den Surrealisten.

Surrealismus

Der Surrealismus machte sich die Erfahrungen zunutze, die die metaphysischen Maler Italiens im Umgang mit den beunruhigenden Realitäten des Traumes gesammelt hatten. Er stimmte der provokanten Absage zu, die allen überlieferten künstlerischen Kategorien, Werten und Normen von den Dadaisten erteilt worden war. Und er griff auf jene wissenschaftlichen Untersuchungen zurück, die dem Wiener Nervenarzt Sigmund Freud als Grundlage seiner revolutionierenden Lehre von der Psychoanalyse gedient hatten. In der Verknüpfung dieser Erkenntnisse, vor allem jedoch durch ihre fortlaufende Überprüfung und Anwendung im kreativen Bereich – seinem literarischen Teil wie seinem malerischen – entstand der Surrealismus. Er entwickelte sich zu einer Kunstströmung, die neben Konstruktivismus und expressiver Abstraktion das Profil der abendländischen Malerei unseres Jahrhunderts bis in die unmittelbare Gegenwart maßgeblich geprägt hat.

Als Begriff tauchte der Surrealismus erstmals im Untertitel von ›Les Mamelles de Tirésias‹ auf, einem Bühnenstück Guillaume Apollinaires, das 1917 erschien. Die Bezeichnung indes blieb noch ohne größeren Widerhall, da ein künstlerisches Programm nicht artikuliert war. Der Prozeß des Reifens und Herausbildens zog sich vielmehr über Jahre hin, ohne allerdings jemals wirklich zum Abschluß zu gelangen. Zu unterschiedlich erwiesen sich die schöpferischen Absichten der einzelnen Beteiligten, zu kontrovers auch waren ihre politischen Positionen. Eine stilistische Einheit des Surrealismus konnte es deshalb auch nie geben. Trotzdem läßt sich etwas Gemeinsames bezeichnen: Es war die Entdeckung des Zufalls und die Erweckung des Traumes, die Ergründung dessen, was im Menschen selbst verschlossen liegt, unsichtbar bisher und also unbekannt.

Die Entwicklung wurde auch von künstlerischer Seite vorangetrieben, vor allem jedoch von jungen Dichtern, die sich, wie Louis Aragon, René Crevel, Robert Desnos und Benjamin Péret, mit dem ›psychischen Automatismus‹ befaßten, d. h. mit der freien Assoziation von Gedanken und Worten, und von Medizinern, die in mehreren Ländern Experimente im Sinne Freuds unternahmen. Zu ihnen gehörte auch André Breton. In der Psychiatrischen Anstalt von Saint Dizier bei Paris zeichnete er Träume und Wachassoziationen Geistesgestörter auf und analysierte sie. Hand in Hand damit gingen Untersuchungen bei Kindern, denn diese stehen den Quellen des Lebens geistig und seelisch näher als die Erwachsenen. Ziel aller Bemühungen war, jene Verdrängungen und Unterdrückungen zu ergründen, die unerkannt im Inneren des Menschen ruhen, die sein Dasein bestimmen, ohne daß er sich dessen bewußt würde, und die an die Oberfläche drängen können, auch wenn es keine sichtbaren Ursachen dafür gibt. Sigmund Freud hatte Urtriebe hierfür in Anspruch genommen, die Libido und ihr Gegenstück, den Todes- und Destruktionstrieb. Die Surrealisten sublimierten sämtliche Triebkräfte des Unbewußten in ihrem Glauben »an die Allmacht des Traumes« (Breton), ohne allerdings visionslose Porträtisten von Träumen zu werden, wie so viele ihrer Nachfolger, die sich als Maler des Phantastischen verstehen.

1924 veröffentlichte Breton sein erstes ›Manifest des Surrealismus‹ (dem er 1930 ein zweites folgen ließ) und erläuterte die Fakten stichwortartig:

»SURREALISMUS, Substantiv, m(ännlich). Reiner psychischer Automatismus, durch den man mündlich oder schriftlich oder auf jede andere Weise den wirklichen Ablauf des Denkens auszudrücken sucht. Denk-Diktat ohne jede Kontrolle durch die Vernunft und außerhalb aller ästhetischen oder ethischen Überlegungen.

Enzyklopädie. Philosophie. Der Surrealismus beruht auf dem Glauben an eine höhere Wirklichkeit gewisser, bis heute vernach-

17 Giorgio de Chirico Die beunruhigenden Musen, 1919

◁

18   Max Ernst   Das Auge des Schweigens, 1943/44

19 René Magritte Die große Familie, 1947

◁

20 Georges Braque Stilleben mit Pfeife, 1932 △

21 Fernand Léger Das große Frühstück, 1921 △

23 Henri Matisse Großes rotes Interieur, 1948

22 Max Beckmann Fastnacht Frankfurt, 1920

24 Willi Baumeister Bluxao VIII, 1955

lässigter Assoziationsformen, an die Allmacht des Traumes, an das zweckfreie Spiel des Denkens. Er zielt auf die endgültige Zerstörung aller anderen psychologischen Mechanismen und will sich zur Lösung der hauptsächlichen Lebensprobleme an ihre Stelle setzen.«

In den weiteren Abschnitten des Manifests beklagt Breton, durchaus auch gesellschaftskritisch, daß die Herrschaft von Rationalismus, Zivilisation und Fortschritt die menschliche Fähigkeit zur Imagination unterdrückt hätte und es mithin Aufgabe der Surrealisten sei, die Kräfte des Unterbewußten zur Wiederherstellung des Gleichgewichts sämtlicher Fähigkeiten des Menschen zu mobilisieren. Breton schloß sein erstes Manifest mit einer Anleitung zum automatischen Schreiben (écriture automatique), richtete seine Forderungen also in erster Linie an die Adresse der Dichter, doch fühlten sich Maler und Bildhauer auf dem ihnen eigenen Terrain in gleicher Weise angesprochen.

Ihr Denken brach aus der Phantasie hervor, von der Vernunft nicht kontrolliert, wie sie meinten. Es führte sie zu einer Kunst voller Verblüffungen und Vieldeutigkeiten. »Das Wunderbare in Form von Schock, Schrecken, Überraschung und Traumvision«, so die Kunsthistorikerin Carola Giedion-Welcker, »wurde nun als wahre Schönheit erklärt. Aber die ›blaue Wunderblume‹ der Romantik blühte bei diesen surrealistischen Nachfahren nicht verloren auf fernem Wiesengrund, sondern sie schoß aus der Banalität des alltäglichen Lebens.« Die Maler, die im Menschen einen »Spielball seines Gedächtnisses« sahen, zogen den ganzen Bildervorrat des Unbewußten hervor und förderten »unverfälschte Fundgegenstände ans Tageslicht, deren Verkettung man als irrationale Erkenntnis oder poetische Objektivität bezeichnen kann«.

Das schrieb Max Ernst, der inspirierte Erfinder und große Einzelgänger unter den Surrealisten, der sich nach eigenem Eingeständnis immer »in gewisser Distanz zu den Experimenten und Doktrinen der Surrealisten gehalten« hat. Sein Œuvre besteht aus Protokollen der eigenen Seelenerfahrung und traumatischen Kindheitserinnerungen, aus Analysen psychischer Landschaften und Halluzinationen geheimnisumwitterter Kulte

38 Salvador Dali, Vorahnung des Bürgerkrieges
    (Weiche Konstruktion mit gekochten Bohnen), 1935

(Ft. 18). Er hat Strukturen wie Materialien umgedeutet und im
Durchreiben von Holzmaserungen die ›Frottage‹ erfunden.

Der Spanier Salvador Dali, der sein Repertoire aus der Lektüre psychoanalytischer und psychiatrischer Bücher bezog,
brachte dem Surrealismus, wie Breton sagte, »als Morgengabe
eine herrliche Waffe, seine kritisch-paranoide Methode«. Sexus
und Libido begannen, neurotisch übersteigert, eine Hauptrolle

39   Yves Tanguy, Die Luft in ihrem Spiegel, 1937

40   Richard Oelze, Die Erwartung, 1935/36

zu spielen. Mit eiskalter Genauigkeit stellte Dali Ungeheuerlich-
keiten dar, Sadistisches und das Grauen des spanischen Bürgerkrieges (Abb. 38). Schwer allerdings läßt sich, vor allem bei den
späten Werken, entscheiden, wann beim Malen die Intuition
überwog und wann die Spekulation auf eine mondäne Gesellschaft, die sich, vom Alltag gelangweilt, lustvoll den extra-
vaganten Grusellandschaften Dalis hingibt.

Von automatischen Skizzen ging der Franzose Yves Tanguy
aus, den künstlerischen Parallelen zur ›écriture automatique‹ der
Dichter. Schließlich schuf er Traumlandschaften von irrealer
Monotonie. Seinen lautlosen Kosmos verstreuter Dinge, Formen

und Figuren hat er in einer Art illusionistischer Choreographie in Szene gesetzt (Abb. 39).

Im Widerspruch zu den Suchern des Unbewußten gab der Belgier René Magritte »dem Unsichtbaren keinen Vorrang vor dem Sichtbaren«. Er wollte auch nicht, daß man in seine Bilder eine Traumwelt hineindeutete. Es ging ihm vielmehr um eine gleichsam wissenschaftliche Erkundung der Austauschbarkeit von Dingen und Erscheinungen, die unwirkliche Situationen ganz eigenen Charakters heraufbeschwor (Ft. 19). Auf diese Weise konnte undurchsichtige Materie plötzlich transparent werden, sich Körperliches in Luft auflösen und die Proportion jeden realen Maßstab verlieren.

Aus der alten Garde des internationalen Surrealismus sind noch die Franzosen André Masson und Pierre Roy, der Spanier Oscar Dominguez, der Belgier Paul Delvaux und der Amerikaner Man Ray, der aus dem Dada-Kreis kam, zu erwähnen. Von ›dessins automatiques‹, den automatischen Zeichnungen, ist auch der Spanier Joan Miró ausgegangen, doch mündete sein Werk nicht in figürlicher Verdichtung, sondern in einer kunstvoll-naiven Defiguration, in der Abstraktion spielerisch erfundener Zeichen (Abb. 41). Ähnliches gilt für den Amerikaner Arshile Gorky, der surreale Formen in informelle Umgebungen eintrug (Abb. 42). Von ihm aus führte der Weg zur jungen Generation der Amerikaner, die die Idee des psychischen Automatismus in ihre Action Painting übernahmen, während in Frankreich Henri Michaux zu seinen Rauschzeichnungen fand. In die Nähe der Surrealisten geriet zeitweise Picasso; und der Chilene Roberto Sebastian Matta hat sich, zum Zeitkritischen tendierend, der Metamorphosen des Wirklichen ebenso bedient wie der Kubaner Wifredo Lam. Als Alt-Surrealist unter den Deutschen läßt sich neben Max Ernst nur Richard Oelze bezeichnen, der Jenseits-Landschaften mit anthropomorphen Strukturen verschmolz (Abb. 40). Hans Bellmers große Zeit kam erst nach dem Zweiten Weltkrieg, als die Phantastische Malerei die Nachfolge des Surrealismus antrat.

41   Joan Miró, Rhythmische Persönlichkeiten, 1934

42 Arshile Gorky, Verlobung II, 1947

Realismus zwischen den Kriegen

Der Erste Weltkrieg hatte politische, soziale und geistige Veränderungen mit sich gebracht, von denen die Künstler nicht unberührt bleiben konnten. Nachdrücklicher als vorher wandten sich viele von ihnen konkreten Alltagsfragen zu, insbesondere gesellschaftlichen Problemen. Engagement lautete die Devise. Die Künstler entdeckten aber auch die sichtbare Wirklichkeit wieder, die während der Zeit des schöpferischen Experimentierens oft weit in den Hintergrund des Bewußtseins und Gestaltens gedrängt worden war. Hinzu kam, daß das Chaos des Krieges sowie die Bedrohung der menschlichen Freiheit und der persönlichen Existenz ein Bedürfnis nach Ordnung und nach Sicherheit geweckt hatten, dem weder mit expressionistischen noch futuristischen Mitteln entsprochen werden konnte, und für welches auch die abstrakte Kunst, Stijl etwa oder Konstruktivismus, nur bedingt Lösungen bereithielt.

So geschah es, daß noch vor dem Beginn der zwanziger Jahre allenthalben eine Welle des Realismus aufbrach, von der selbst Maler mitgerissen wurden, die unter anderen äußeren Voraussetzungen höchstwahrscheinlich auch zu einer anderen inneren Entwicklung gekommen wären. Dieser Zwischenkriegs-Realismus ist später, vor allem während der fünfziger und frühen sechziger Jahre, vielfach als Nachhall eines traditionellen Kunstverständnisses, psychologisch erklärbar als Reaktion auf den Kriegsschock, betrachtet und als Hemmnis auf dem Weg zur endgültigen Abstraktion entsprechend negativ bewertet worden. Unterdes haben sich jedoch die Positionen seiner Beurteilung grundlegend verändert. Seitdem die sichtbare Welt im internationalen Kunstschaffen wieder einen bedeutenden Rang einnimmt, gilt auch der Realismus der zwanziger und dreißiger Jahre als legitime Antwort auf künstlerische Fragen, die damals die Zeit stellte.

Der Realismus zwischen den Kriegen hat stilistisch keinen einheitlichen Charakter. Er kam bei den einzelnen Künstlern und in den beteiligten Ländern auf unterschiedliche Weise zum Ausdruck. Gemeinsamkeiten in der Wahl der Sprachmittel, der Motive und der Zielrichtung lassen jedoch eine verhältnismäßig übersichtliche Gruppierung zu.

Verismus

Berlin, Hochburg der bald gescheiterten deutschen Revolution, war von 1918 an Schauplatz eines künstlerischen Aktivismus' ohnegleichen. Dort trafen jene Kräfte zusammen, die, vom Zentrum aus, auf den Trümmern des Kaiserreiches einen neuen, nun demokratischen und sozialistischen Staat bauen wollten. In ihm sollte die Kunst ganz nahe beim Volke sein. Der gemeinsame Kampf galt den Brutalitäten, die der Krieg gelehrt, und den Profitmachern, die sich über ihn hinweggerettet hatten. Er galt dem nationalen Pathos, das verdächtig wach geblieben war, und der bürgerlichen Ästhetik, die doch nur das Kulturbedürfnis der gehobenen Schichten befriedigte. »Wir alle wollen die Welt ändern«, begeisterte sich der Dichter René Schickele, »wir alle wollen Gerechtigkeit«. ›Radikal‹ hieß das Wort, das sich wie eine Zauberformel verbreitete. Radikal wurde gleichbedeutend mit Wahrheit und Aufrichtigkeit, mit Fortschrittselan und weltumspannender Brüderlichkeit.

Die engagiertesten unter den Künstlern in Berlin vereinten sich in der Ende 1918 gegründeten ›Novembergruppe‹, die schließlich über 120 Mitglieder zählte. Zur ihr gehörten auch die Dadaisten Raoul Hausmann und Hannah Höch, vor allem jedoch die beiden schärfsten Analytiker der Zustände, die es zu ändern galt: George Grosz und Otto Dix. Mit ihrem sozial-

43   Otto Dix, Schützengraben in Flandern, 1922/23

kritischen Verismus, einer Kunstform der bohrenden, minuziö-
sen Genauigkeit, markierten sie den extremen Beginn eines neu
erwachenden Realismus. Das Terrain von Grosz war die Großstadt mit ihren heimgekehrten Kriegskrüppeln und daheimge-
bliebenen Bankiers, mit der Heerschar der Buchhalter, Proleten,
Staatsanwälte und Prostituierten (Abb. 44). Kein anderer, so
meinte Kurt Tucholsky, habe »das moderne Gesicht des Macht-
habenden so bis zum letzten Rotweinäderchen erfaßt wie dieser
eine«. Das Urerlebnis von Otto Dix war die Front gewesen, der
mörderische Stellungskrieg im Westen. Sein *Schützengraben in*

44   George Grosz, Stützen der Gesellschaft, 1926   ▷

Flandern (Abb. 43), Porträt eines eisigen Entsetzens, geriet zum Schlüsselbild für das Schicksal einer ganzen Generation. Unter Hitler wurde es im Hof der Berliner Hauptfeuerwache verbrannt.

Auch Otto Griebel und Georg Scholz zählten zur ›Novembergruppe‹, Rudolf Schlichter war sogar ihr Mitbegründer. Ihr veristischer Zynismus freilich bezeichnete nicht ihre Grundhaltung. Im Sinne Beckmanns wollten sie vielmehr »den Menschen ein Bild ihres Schicksals« vorhalten. Max Beckmann selbst tat es, oft symbolisch überhöht, mit teilnehmender Liebe, dem »einzigen, was unsere recht überflüssige und selbstsüchtige Existenz einigermaßen motivieren kann«. Außerhalb Berlins lieferten Karl Hubbuch und Wilhelm Schnarrenberger, beide Lehrer an der Landeskunstschule Karlsruhe, wichtige Beiträge zum Verismus. Die sichtbarsten Spuren außerhalb Deutschlands, aber beeinflußt von hier, hat dieser Stil im Werk des Amerikaners Ivan Albright hinterlassen.

Neue Sachlichkeit und Magischer Realismus

»Es liegt mir daran, repräsentative Werke derjenigen Künstler zu vereinigen, die in den letzten zehn Jahren weder impressionistisch aufgelöst noch expressionistisch abstrakt, weder rein sinnenhaft äußerlich noch rein konstruktiv innerlich gewesen sind. Diejenigen Künstler möchte ich zeigen, die der positiven greifbaren Wirklichkeit mit einem bekennerischen Zuge treu geblieben oder wieder treu geworden sind.« Dieses Rundschreiben versandte der Direktor der Städtischen Kunsthalle Mannheim, G. F. Hartlaub, 1923 an alle in Frage kommenden deutschen Maler. Zwei Jahre später, im Sommer 1925, konnte er das Fazit mit einer Ausstellung ziehen, die unter dem von ihm selbst gewählten Titel ›Neue Sachlichkeit‹ 124 Bilder von 32 Künstler vereinte und im Anschluß an Mannheim noch in mehreren anderen deutschen Städten gezeigt wurde. Es handelte sich um eine erste Bestandsaufnahme jener konkret-dinglichen Malerei, für welche der Kunstkritiker Franz Roh kurz zuvor den Begriff ›Magischer Realismus‹ gefunden hatte.

45 Alexander Kanoldt, Olevano, 1924

Beide Bezeichnungen sind inzwischen geläufig geworden, obwohl sie nicht in jeder Nuance dasselbe meinen. Was den neuen
realistischen Stil der zwanziger Jahre charakterisiert, hat Wieland Schmied unlängst in fünf Punkten festgehalten: Es ist
»1) die Nüchternheit und Schärfe des Blicks, eine unsentimen-
mentale, von Emotionen weitgehend freie Sehweise; 2) die Blickrichtung auf das Alltägliche, Banale, auf unbedeutende und
anspruchslose Sujets, die fehlende Scheu vor dem ›Häßlichen‹;
3) ein statisch fest gefügter Bildaufbau, der oft einen geradezu
luftleeren gläsernen Raum suggeriert; 4) die Austilgung der
Spuren des Malprozesses, die Freihaltung des Bildes von aller
Gestik der Handschrift und 5) eine neue geistige Auseinandersetzung mit der Dingwelt.«
Diese Neue Sachlichkeit hatte Zentren in verschiedenen Teilen
Deutschlands. Ihre eigenwilligste Abweichung erfuhr sie gleich

46   Georg Schrimpf, Mädchen auf dem Balkon, 1927

zu Beginn in München, wo Alexander Kanoldt (Abb. 45), Georg
Schrimpf (Abb. 46) und Carlo Mense zu einer fast schon neo-

47 Anton Räderscheidt, Die Rasenbank, 1921

klassizistischen Lösung kamen. Der inspirierende Einfluß der
›Pittura metafisica‹ ist offensichtlich, auch derjenige der Gruppe
um die ›Valori plastici‹. Noch einmal wird die jahrhundertealte
Italiensehnsucht deutscher Maler in monumentalem Schweigen
gegenwärtig.

48   Christian Schad, Graf St. Génois d'Anneaucourt, 1927

49 Karl Völker, Industriebild, 1923

Einen härteren, mehr diesseitigen Ton schlugen die Neusachlichen von Berlin an. Zu ihnen gehörten die schon erwähnten Veristen sowie Hannah Höch, Otto Nagel, Franz Lenk, August Wilhelm Dressler, Gustav Wunderwald, Heinrich Maria Davringhausen und endlich Christian Schad, der ausschließlich Menschen gemalt hat, ihre Gesichter, ihre Körper und die Nacktheit unter ihren Gewändern (Abb. 48). Durch ihre Distanziertheit finden seine Gestalten ein gewisses Gegenbild in den Werken des Kölners Anton Räderscheidt, doch hat dieser psychische Einsam-

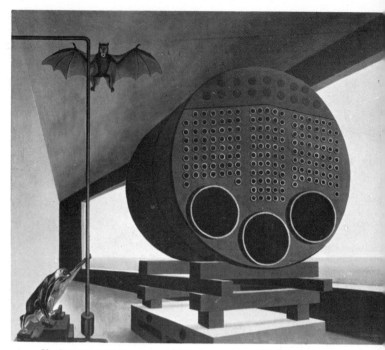

50   Carl Grossberg, Dampfkessel mit Fledermaus, 1928

keit und abwehrendes Warten in noch fernere Zonen gerückt
(Abb. 47).

Der Motivschatz der Magischen Realisten entstammt der Welt
und Umwelt des kleinen Mannes. Es sind die Straßenecken und
schmucklosen Häuserzeilen der Städte, Brückendurchfahrten,
Bahnübergänge, Wohnzimmer und Dachböden. Immer wieder
kommen Stilleben vor, gefüllt mit Kannen, Krügen und Blumen, aber auch mit Malutensilien, Büchern, ausgetretenen Schu-
hen, Besen und Abfalleimern. Am häufigsten haben die Künstler
sich selbst gemalt, ihre Familien, Freunde und Auftraggeber,
auch Männer beim Kartenspiel oder als Wartende vor dem
Arbeitsamt, Frauen beim Bügeln und Nähen, Kinder beim Spiel,
Liebespaare und Kranke. Franz Radziwill, in Dangast, einem

51 Franz Radziwill, Todessturz Karl Buchstätters, 1928

Fischerdorf an der Nordsee, zu Hause, ließ Flugzeuge wie bös-
artige Insekten über Küstenlandschaften hinschwärmen (Abb.
51), während Karl Völkers Arbeiter von der kalten Zweckmäßigkeit eines Industriegeländes bedroht werden (Abb. 49)
und Carl Grossberg in Halbträume über Maschinenhäuser und
Kesselanlagen geriet (Abb. 50), sofern er nicht mit ungemein
farbsatten Stadtansichten ein Prinzip der Pop Art vorweg-
nahm. In Dresden endlich, wo die Neue Sachlichkeit einen starken Stützpunkt hatte, widmete man sich in erster Linie dem
sozialen Realismus.

52   Hans Grundig, Hungermarsch, 1932

Sozialer Realismus

Der Soziale Realismus in Deutschland begann bereits vor der
Jahrhundertwende mit sozialkritischen Grafiken von Käthe
Kollwitz. Eine tragfähige Basis als Malerei aber fand er erst im
Zusammenhang mit dem Aufkommen der Neuen Sachlichkeit.
Als ihr ›linker Flügel‹ apostrophiert, hatte er seine wichtigsten
Stützpunkte in Berlin, im Rheinland und vor allem in Dresden,
wo Otto Dix seit 1927 an der Kunstakademie lehrte. Der Ein-
fluß dieses Veristen auf die junge, weitgehend sozialistisch ein-
gestellte Künstlerschaft war groß und führte in Dresden sogar
zu einer Art Schule der ›proletarisch-revolutionären Kunst‹. Zu
ihren bekanntesten Vertretern zählten Hans und Lea Grundig
(Abb. 52), Kurt Querner, Wilhelm Lachnit, Otto Griebel, Oskar
Nerlinger, Otto Nagel und Conrad Felixmüller. Sämtlich ge-

53   Diego Rivera, Die Fron der Landarbeiter, 1935

hörten sie übrigens der ›ASSO‹ an, einer 1928 in Berlin und
1929 in Dresden gegründeten kommunistischen ›Association revolutionärer bildender Künstler‹, die bei ihrem Verbot 1933

über 500 Mitglieder in allen Teilen Deutschlands gehabt haben soll. Der Soziale Realismus der Dresdener und aller ASSO-Künstler hatte betont klassenkämpferischen Charakter. Mit Akribie und propagandistischer Schärfe erhellten sie die düstere Kehrseite der angeblich so goldenen zwanziger Jahre. »Die Kunstgeschichte umgeschrieben«, wie Richard Hiepe meint, haben sie allerdings nicht. Dazu fehlte es ihnen doch an schöpferischer Originalität und kollektivem Gewicht.

Weltgeltung im Bereich des Sozialen Realismus haben nur die großen Drei der sogenannten ›mexikanischen Renaissance‹ erlangt: Diego Rivera, José Clemente Orozco und David Alfaro Siqueiros. Sie manifestierten, was Bernard S. Myers das »sichtbare Symbol und Gewissen der noch unvollendeten Revolution« genannt hat, in monumentalen Fresken auf den riesigen Wandflächen der modernen Staatsarchitekturen. Dort werden die Geschichten und Legenden der Märtyrer und Volkshelden erzählt, dramatisch, farbenreich und in deutlicher, folkloristischer Anspielung auf die indianische Vergangenheit Mexikos (Abb. 53). Diese Armenbibeln einer erträumten sozialen Religion haben auf Künstler in den meisten lateinamerikanischen Ländern gewirkt. Aber auch Künstler in den USA nahmen die von ehrlichem Pathos getragenen Vorbilder auf, so Ben Shahn, John Sloan und Kenneth Hayes Miller.

Sozialistischer Realismus

Der Sozialistische Realismus ist die sowjetische Ausdrucksform einer ausschließlich auf die unmittelbare ideologische Massenbeeinflussung gerichteten Kunst. Zu seinen wichtigsten Aufgaben gehört die politische, moralische und ästhetische Erziehung der Menschen im Geiste des Sozialismus und zur gesellschaftlichen Bewußtseinsbildung im Sinne der kommunistischen Sozialordnung. Lenin: »Die Kunst gehört dem Volke. Sie muß ihre tiefsten Wurzeln in den breiten, schaffenden Massen haben. Sie muß von diesen verstanden und geliebt werden.« In der Praxis bedeutet das die staatliche Verfügungsgewalt über alle grundsätzlichen schöpferischen Entscheidungen, da nach sowjetischem Selbstverständnis nur der Staat als Vollzugsorgan des Volkswillens auch tatsächlich feststellen kann, was dem Volk nützt und was die Massen mithin verstehen und lieben sollen.

Den Beginn des Weges zum Sozialistischen Realismus hat Lenin im Zusammenhang mit der Verkündung der ›Neuen Ökonomischen Politik‹ 1921 noch selbst bezeichnet, indem er jenen, die bis dahin wirklich revolutionäre, antibürgerliche Kunst gemacht hatten, so die Konstruktivisten, dialektisch ›Linklertum‹ vorwarf und ihr Handeln als einen dem Volke entfremdeten ›Formalismus‹ zieh. Nach seinem Tode verschärfte sich die Entwicklung von Jahr zu Jahr, bis Stalin das Zentralkomitee der Kommunistischen Partei der Sowjetunion am 23. April 1932 den Sozialistischen Realismus zur offiziellen Kunstrichtung erklären ließ. Von da an verfiel alles, was nicht den Normen dieser Kunstdoktrin entsprach, der Ächtung und Verfolgung, mit jeglicher Konsequenz, die sich für die Betroffenen daraus ergab. Nach dem Zweiten Weltkrieg wurden die Regeln des Sozialistischen Realismus im ganzen Ostblock verbindlich, aber nicht überall gleich konsequent eingehalten. Am folgsamsten war die Kunstpolitik in der DDR, während Polen schon in den frühen fünfziger Jahren Ausnahmen zuließ. Inzwischen ist eine langsame Neuorientierung sogar in der Sowjetunion zu erkennen.

Der Sozialistische Realismus setzt im Prinzip die bürgerlich-idealistische Kunst des 19. Jahrhunderts fort, nur eben mit sozialistischen Vorzeichen. Seine Helden, Männer wie Frauen, sind Arbeiter an der Werkbank, Traktorfahrer auf dem Felde, Schnitterinnen beim Ernteeinsatz, Soldaten auf Wache und Kolonisatoren Sibiriens. Es sind keine Privatpersonen, sondern ›typische‹ Gestalten, es sei denn, es handelt sich um Prominente des Sowjetstaates, wie Lenin und Stalin, oder um sogenannte Verdiente des Volkes, die jedermann im Lande als ›Helden der sozialistischen Arbeit‹ oder um anderer Taten willen kennt bzw. kennenlernen soll. Die Bilder haben in erster Linie unbeirrbaren Optimismus zu verbreiten. Zweifel an der Konfliktlosigkeit des sozialistischen Lebens wurden zögernd erst nach Stalins Tod zu-

54   Isaac I. Brodsky, Lenin im Smolny, 1930

gelassen, erschöpften sich aber meist in Beiläufigkeiten. Da man
vom Thematischen wie vom Stilistischen her alles Individuelle
bewußt zurückdrängte, wurde auch die Individualität der Künstler selbst austauschbar, so daß deren Namen, sofern sie lediglich
dem Sozialistischen Realismus verbunden sind, bedeutungslos
bleiben. Wenigen Künstlern nur gelang es, sich über das läh-
mende Mittelmaß hinaus zu profilieren. Zu ihnen gehörten
Isaac I. Brodsky (Abb. 54), Alexander Gerassimow, Semjon
Tschujkow und Alexander Laktionow, Maler übrigens, mit denen die Sowjetunion ihre Staatskunst anläßlich der Brüsseler
Weltausstellung von 1958 präsentierte. Die damals ebenfalls
ausgestellte *Verteidigung Petrograds,* ein berühmt gewordenes
Gemälde Alexander Deinekas, ist noch nicht dem Sozialistischen
Realismus zuzurechnen. Es entstand 1929 nach dem Vorbild
von Ferdinand Hodlers *Auszug der Jenenser Studenten,* das um
zwanzig Jahre älter war.

Konstruktiver Realismus

Fernand Léger hat den Kubismus und seinen persönlichen ›Tu bismus‹ auf logisch-mechanistische Weise fortentwickelt (Ft. 21). In den frühen zwanziger Jahren gelangte er zu einer Kunstform, in der »die Maschine gestalthaft« wurde, während der Mensch im Gegensinn maschinenartigen Charakter annahm. Es ging Léger darum, seine Bildarchitektur »und einen Rhythmus zu organisieren«. Dazu lieferte ihm die Technik das Material und die große Anonymität, der Mensch seine Alltagsexistenz als Handwerker oder Monteur, als problemloser Freizeitler bei Frühstück und Lektüre. In der malerischen Synchronisation von Technik und humaner Natur hatte Léger sein Ziel erreicht. Er

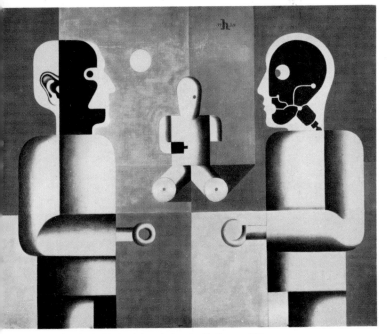

55 Heinrich Hoerle, Denkmal der unbekannten Prothesen, 1930

56   Franz Wilhelm Seiwert, Arbeitergruppe, 1926

selbst sprach vom ›Réalisme nouveau‹, wenn er diese mittlere Phase seines Schaffens meinte. Heute läßt sie sich eher als ein Konstruktiver Realismus fassen. Dafür gab es in Deutschland eine eigentümliche Parallele, die freilich einer ganz anderen Motivation entsprungen war.

Ihr Schauplatz hieß Köln. Hier hatten sich in der ›Gruppe der Progressiven‹ Maler vereint, die stilistisch eine Synthese aus den Mechanik-Elementen Légers, den Geometrieprinzipien des russischen Konstruktivismus und der Vertikal-Horizontal-Ordnung des holländischen Stijl anstrebten. Heinrich Hoerle (Abb. 55), Franz Wilhelm Seiwert (Abb. 56) und Gerd Arntz waren ihre Hauptvertreter. Ihnen ging es nicht nur um die Lösung formaler Fragen, sondern um die Erkundung eines neuen bildnerischen Terrains, auf dem sie sich als erklärte Marxisten bewegen konnten, ohne in die ultralinken Partei- und Kunstbindungen der Sozialen Realisten zu geraten. Man hat sie neuerdings mit gewissem Recht auch als Politische Konstruktivisten bezeichnet. Inspiriert von den Visionen eines wahrhaft brüderlichen Sozialismus wollten sie den einfachen Menschen, Arbeiter, Kriegskrüppel und Demonstranten, die Wehrlosen, die Frauen, die Kampfgefährten und Zeitgenossen mitsamt ihren Bedrängnissen, Nöten und Freuden in sichtbare Beziehung zur technischen und gesellschaftlichen Umwelt bringen. In sehr rheinischer, leicht ironischer Anspielung auf Kölns Weltkunst in spätgotischer Zeit sprachen sie von »einer neuen Kölner Malerschule mit proletarischem Goldgrund«. Sie ist nicht zustande gekommen. Aber ihre Utopie hat Geschichte gemacht.

Kubo-Realismus

Während Juan Gris bis zu seinem frühen Lebensende (1927) auf der strengen Bildordnung des synthetischen Kubismus beharrte und die anderen Vertreter dieses Stils, Picasso eingeschlossen, längst zu neuen, nicht mehr kubistischen Ausdrucksformen gelangt waren, entwickelte Georges Braque das Gestaltschema des Kubo-Realismus (Ft. 20). Es ist das einzige, das sich legitim als abschließende Phase des klassischen Kubismus bezeichnen läßt.

Unter Verwendung des alten Motivarsenals fand Braque während der zwanziger Jahre zu einer poetisch schwingenden, den objektiven Erscheinungen der Dinge wieder angenäherten Darstellungsweise. Das gilt sowohl für die monumentalen Figurengefüge als auch für die aus Gläsern, Kannen, Vasen, Schalen und Früchten architekturähnlich komponierten Tisch-Stilleben und die sogenannten Kamin-Bilder. Sie sind anti-illusionistisch in die Fläche gekippt, mithin zweidimensional. Doch wird eine ungefähre Räumlichkeit suggeriert, was dem Ganzen trotz des lapidaren Inhalts jeweils einen neuen Empfindungswert verleiht. Braques Ziel war nicht, wie er selbst sagte, »eine anekdotische Tatsache *wiederzugeben,* sondern eine Bildtatsache *herzustellen*«. Das hat er auch mit seinem Kubo-Realismus erreicht.

Neoklassizismus und Klassischer Realismus

Der Neoklassizismus oder Klassische Realismus ging unmittelbar nach dem Ersten Weltkrieg von Italien aus. Er griff auf die in der Renaissance liegenden Ansatzpunkte der Pittura metafisica zurück. Hauptinitiator und wortgewaltiger Vertreter war Giorgio de Chirico, der 1919 in der Zeitschrift ›Valori plastici‹ emphatisch seine ›Rückkehr zu den Meistern‹ verkündete. Im Gleichklang mit ihm befand sich Carlo Carrà, der einer Kunst der archaischen Vereinfachung zustrebte, in welcher jedes Ding in seiner wesenhaften Größe erscheinen sollte. Carràs Landschaften sind von zeitloser Gelassenheit (Abb. 57): die Berge zu mächtigen Massen zusammengeschoben, das Meer erdhaft kompakt, die Häuser kubisch versteinert und alle Formen blockig schwer. Trotz des südlichen Zaubers, der bleibt, regiert nicht das Klima der arkadischen Idylle, sondern ernste Feierlichkeit. Mit solchen Bildern hat Carrà den Magischen Realismus der Deutschen beeinflußt und auch die ersten Schritte der Kölner Progressiven gelenkt.

Der dritte Großmeister des italienischen Neoklassizismus war Giorgio Morandi, ein Maler, der seine Heimatstadt Bologna nie verlassen haben soll. An den strengen Vereinfachungen Cézannes

57   Carlo Carrà, Pinie am Meer, 1921

orientiert, kam er zu lyrischen Verdichtungen alltäglicher Dinge
(Abb. 58). Nur zu Anfang hat er auch Menschen gemalt. Später
wandte er sich ausschließlich dem Stilleben zu, das er mit

58 Giorgio Morandi, Stilleben, 1957
59 Carl Hofer, Tessinlandschaft, 1925

atmosphärischer Behutsamkeit und ohne jeden Anflug von Monotonie wiederzugeben wußte.

In Frankreich hat als einziger André Derain die neoklassizistischen Tendenzen aufgenommen. In Deutschland war es Carl Hofer, der von sich selbst bekannte: »Ich besaß das Romantische; ich habe das Klassische gesucht.« Seine Bilder lassen die Lebendigkeit der Welt zu kargen Träumen gerinnen (Abb. 59). Hart sind die Konstruktionslinien und Konturen gezogen, betont trocken ist die Farbe gesetzt. Hofers klassischer Realismus hat Figurenbilder von spröder Weltangst hervorgebracht. Die Menschen sind vereinsamt, man erkennt, wie sie sich ausgeliefert fühlen. Selbst in den Tessiner Landschaften Hofers schwingt das Gefühl des Isoliertseins mit.

Spätfauvismus

»Die Bilder sprechen an mit schönem Blau, mit schönem Rot und schönem Gelb, mit Elementarstoffen, welche die menschlichen Sinne in ihrer Tiefe aufwühlen. Das ist der Ausgangspunkt des Fauvismus: der Mut, die Reinheit der Mittel wiederzufinden.« Diese Feststellung traf Henri Matisse, das Haupt der Fauve-Bewegung, als der große Elan des Aufbruchs schon längst verklungen war. Er fügte hinzu: »In meinen letzten Bildern habe ich das, was ich mir in den vergangenen zwanzig Jahren erworben hatte, wieder meinem ursprünglichen Wesen verwoben.« (Ft. 23)

Auf diese Weise kennzeichnete Matisse den Spätfauvismus als einen Stil, der sich nicht wesentlich von seinen Ursprüngen unterscheidet. Auch er manifestiert sich als sinnlich erlebte Natur. Nur wurde das Repertoire der malerischen Motive und Mittel im Laufe der Zeit immer umfangreicher und kostbarer. Tropisch begannen die Gewächse inmitten blühender mittelmeerischer Landschaften zu wuchern. Gutbürgerliche Interieurs unterwarfen sich der Herrschaft orientalischer Ornamente. Und schwelgerisch drückten sich die Empfindungen des Malers im Dreiklang der reinen Farben aus. Auch Raoul Dufy arbeitete nach diesen Prinzipien des Spätfauvismus, ohne allerdings den volltönenden Akkord von Matisse zu erreichen.

60   Hans Purrmann, Zimmer mit Balkon, 1937

In Deutschland war und blieb es Hans Purrmann, der dem
verehrten Meister am treuesten folgte: dieselben Themen, dieselben Blickwinkel, eine sehr ähnliche Farbigkeit (Abb. 60). Was

jedoch Matisse stets heiter und scheinbar schwerelos geriet, das lenkte Purrmann zu einer intransparenten Dichte, ja zu einer Kompaktheit, die irdisch anmutet und unwiderruflich. »Ich suchte farbig zu sein, ohne mich vom überwältigenden Licht des Himmels oder der Natur zu allzu hellen Farben hinreißen zu lassen. Ich wollte eine satte und volle Malerei kultivieren, die klangvollen Harmonien untergeordnet ist.« Das schrieb Purrmann 1961, nachdem er seinen deutschen Fauvismus auch noch über den Zweiten Weltkrieg hinweggerettet hatte.

Expressiver Realismus

Von allen Sonderformen des Realismus läßt sich seine expressive Variante am wenigsten exakt definieren. Da gab es den aus seiner Vorkriegs-Euphorie entlassenen deutschen Expressionismus, der insbesondere durch Ernst Ludwig Kirchner einen neuen starker Realitätsbezug erhielt. Das Ziel des einstigen ›Brücke‹-Meisters war nun nicht mehr die emotionale Übersteigerung, sondern die bildnerische Festigung rhythmischer Formen und Bewegungen, die er in der freien Natur wahrgenommen hatte. Beispiele hierfür sind die alpinen Landschaftsdarstellungen seiner Davoser Zeit.

Zum anderen setzten die Flamen und Holländer ihren eigenen Expressionismus fort, der sich von der nüchternen Realität ohnehin nie so weit entfernt hatte wie der deutsche Expressionismus. Edgard Tytgat und Herman Justus Kruijder sind zu nennen.

Und schließlich waren da noch die jüdischen Immigranten innerhalb der ›Ecole de Paris‹, die, teilweise schon mehr als zwei Jahrzehnte in Frankreich ansässig, Elemente der slawischen Leidenschaftlichkeit und künstlerischer Expressivität aus ihren osteuropäischen Heimatländern mitgebracht hatten. Zu diesen Malern zählen Marc Chagall, der aus Weißrußland gekommen war. Moise Kisling aus Polen, Jules Pascin aus Bulgarien und nicht zuletzt Chaim Soutine aus Litauen, dessen melancholische Apokalypsen den Eruptionen Ludwig Meidners entsprachen. Zum selben Kreis gehörte auch der Italiener Amedeo Modigliani. Er

61   Amedeo Modigliani, Italienerin, o. J.

62   Pablo Picasso, Weinende Frau, 1937

vertraute seine milde Energie manieristisch gedehnten Bildnissen
an und kehrte damit das Expressionistische gleichsam nach innen
(Abb. 61).

Die für die stilkritische Bestimmung des expressiven Realismus wichtigsten Beiträge leisteten Picasso und Beckmann, so sehr sie sich auch voneinander unterschieden. Pablo Picasso trieb die dramatische Steigerung während der dreißiger Jahre bis an die Grenze des Möglichen. Zum berühmtesten Dokument wurde sein *Guernica,* ein fast 28 Quadratmeter großes, nahezu einfarbig-dunkel gehaltenes Ölbild, das Picasso unmittelbar nach dem Bombardement der kleinen baskischen Stadt im Frühjahr 1937 malte. Aufschrei und Anklage sind unüberhörbar. Durch Picasso wurde die schreckliche Tat des spanischen Bürgerkrieges zu einem Stück Weltgeschichte. Er hat an sie auch in anderen Werken erinnert, indem er Detailmotive aus dem Monumentalbild herauslöste und verselbständigte. Die *Weinende Frau* war eines der ersten (Abb. 62).

Auf der anderen Seite Max Beckmann (Ft. 22), der seine Probleme so umschrieb: »Es handelte sich für mich immer wieder darum, die Magie der Realität zu erfassen und diese Realität in Malerei umzusetzen. Meine Gestalten kommen und gehen, wie Glück oder Mißgeschick es sie tun heißt. Ich suche sie festzuhalten, entkleidet ihrer zufälligen Eigenschaften.« Beckmann ist den Expressionisten gegenüber stets auf Distanz geblieben. Er war ein ausgesprochener Einzelgänger, ein Mensch-Sucher, wie Barlach ein Gott-Sucher gewesen ist. Er richtete seinen Blick auf die Lebens-Bühne, wo die Menschen agierten. Ihr Elend und ihren Jammer entdeckte Beckmann hinter allen Verkleidungen.

American Scene

Die American Scene, welche einen wesentlichen Teil der nichtabstrakten Kunst Amerikas umfaßt, ist aus der Tradition der Ashcan-School hervorgewachsen, einer um die Jahrhundertwende aufgekommenen Kunstrichtung, die ihre Motive nicht mehr der heilen Welt des amerikanischen Durchschnittsbürgers entnahm, sondern jenen Vierteln New Yorks, in denen die Armen und die Farbigen hausen. Die ›Mülltonnenmaler‹, wie man sie spöttisch nannte, haben als erste bewußt Großstadtkunst

25 Mark Rothko Erde und Grün, 1955

26 Wols Peinture, 1946/47   27 Jackson Pollock Blaue Pfähle, 1953 ▷

28   Lucio Fontana   Raumvorstellung, Das Ende Gottes, 1963

29 Josef Albers Hommage to the Square, 1967

30 Francis Bacon Porträt der Isabelle Rawsthorne in einer Straße in Soho, 1967

31 Andy Warhol Marilyn, 1967

32 Howard Kanovitz Chairshadow (Stuhlschatten), 1973 ▷

gemacht. Zu ihnen gehören John Sloan, George Luks und George Bellows. Ihre Themen suchten sie in allen Teilen Manhattans, die als proletarisch galten: East-Side, Down-Town, Greenwich Village und Harlem. Bei der malerischen Bewältigung bedienten sie sich der aus Europa überlieferten akademischen Mittel.

Während der zwanziger Jahre wurde die Ashcan-School von Ben Shahn fortgeführt, der neue Ausdrucksformen schuf. Deutlich traten nun sozialreformerische Absichten hervor. Auch diese ›American Scene‹, wie man sie nun nannte, hatte ihr Zentrum in New York, doch ging sie bald aufs Land, wo die Künstler dankbare Motive in den biederen Kleinstädten des Mittleren Westens fanden. Trostlosigkeit und Spießertum wurden ohne Leidenschaft registriert. Einen neuen Weg beschritten die ›Präzisionisten‹, ebenfalls in New York beheimatet, indem sie sich nicht den schlichten Menschen, sondern den banalen Dingen zuwandten. Was Charles Sheeler, Morton Schamberg, Charles Demuth, Preston Dickinson und Ralston Crawford in ihrer Nachbarschaft, in Hinterhöfen, Schaufenstern und Industriegebieten entdeckten, übertrugen sie auf ihre Leinwände, wobei sie zugleich die Formskala reduzierten. So entstanden ihre strukturbetonenden Gemälde mit den Kesseln, Röhrennetzen und Aufzügen, mit den Silos, Fabriken, Gleisanlagen, Kränen, Schornsteinen, Wassertürmen und Haushaltsgeräten. Je simpler die Architektur war, desto besser eignete sie sich als Sujet.

Dabei wurden die Präzisionisten nicht nur von der Ashcan-School beeinflußt, sondern mehr noch von Marcel Duchamp, dem Mitbegründer der New Yorker Dada-Gruppe, der in Amerika geblieben war. Seine Manifestationen der fertigen Objekte, die Ready-mades, lenkten den Blick der Präzisionisten auch auf die unscheinbarsten, unnützesten und kleinsten Dinge, die sie dann in geometrisch-stereometrischer Vereinfachung ins Bild setzten. Von einem ›Kubo-Realismus‹, wie amerikanische Kunstkritiker oft meinen, kann indes keine Rede sein. Denn nicht eine einzige formale Bedingung des klassischen Kubismus wird erfüllt. Und die flächig-plakative Art der Farbsetzung ist ganz sicher nicht kubistischen Ursprungs. Dafür weist sie voraus: in Richtung auf die Pop Art, die die Präzisionisten zu ihren Vorläufern zählt.

63 Grant Wood, Amerikanische Gotik, 1930

Während der dreißiger Jahre wollten Künstler, die im Süden,
Westen und Mittelwesten Amerikas lebten, das Malermonopol
der Ostküste, also New Yorks, brechen. Sie nannten sich Regio-

64 Edward Hopper, Nighthawks, 1942

nalisten. Aus ihrer großen Schar gelang allerdings nur ganz
wenigen der Sprung von der provinziellen Beengtheit der he-
roisch-patriotischen Malerei zur American Scene. Zu diesen
wenigen gehören Thomas Hart Benton, der das amerikanische
Landleben verherrlichte, und Grant Wood, der in seine detail-
scharfen Bilder immer auch einen Hauch von Ironie einfließen
ließ (Abb. 63).

Der im Hinblick auf seine Nachwirkungen bedeutendste Vertreter der American Scene wurde Edward Hopper. Er wußte im
Anekdotischen Schicksalhaftes festzulegen, und er hat die Isoliertheit von Menschen, Räumen, Dingen und Situationen wie kein
anderer zum universalen Thema gemacht (Abb. 64). Seine Ein-
samkeiten sind unsentimental, modellhaft und präzis. An ihre
poetische Genauigkeit haben die Neuen Realisten der sechziger
Jahre vielfältig angeknüpft.

Abstrakter Expressionismus und Lyrische Abstraktion

Die große Zeit der abstrakt-expressiven Malerei brach mit dem Ende des Zweiten Weltkriegs an. Was vorher bereits in Ansätzen und einzelnen Entwicklungsphasen erkennbar war, entfaltete sich nun binnen kurzem zu einer Breite, die bis dahin noch keine Kunstbewegung erreicht hatte. Der abstrakte Expressionismus ergriff die Länder Europas, sofern das Kunstschaffen dort keinem staatlichen Reglement unterlag. Er traf auf gleichgerichtete, schon länger bestehende Tendenzen in den USA und strahlte nach Mittel- wie nach Südamerika aus. Selbst Japan wurde einbezogen. Zum ersten Male umschloß eine Kunstströmung fast den ganzen Erdball, zum ersten Male konnte man von wirklicher Internationalität im modernen Sinne sprechen.

Zentrum des Geschehens war zunächst Paris. Als Brennpunkt des aus dem Chaos des Krieges neu emporkeimenden europäischen Geisteslebens, als Verkündungsstätte der einflußreichen Existenzphilosophie Jean-Paul Sartres, die sich unter den antibürgerlich eingestellten Jugendlichen in der existentialistischen Kellerbohème artikulierte, nicht zuletzt aber kraft seiner eigenen fortschrittlichen Kunsttraditionen, die Montmartre und Montparnasse hatten zu Symbolen werden lassen, zog Paris die Maler aus aller Welt mit geradezu magischer Gewalt an. So konnten sich in dieser Stadt auch die tragfähigsten schöpferischen Ideen am schnellsten und konzentriertesten ausformen. Paris wurde Heimat der Avantgarde. Für mehr als ein Jahrzehnt blickten alle, die mit Kunst zu tun hatten, Sammler, Kritiker, Mäzene, Händler und Museumsleute, vor allem natürlich die Künstler

65   Roger Bissière, Komposition, 1957

selbst, auf Paris. Was sich dort begab, hielt man für wegweisend,
beispielhaft und nachahmenswert. Das galt auch für den abstrakten Expressionismus.

Dem abstrakten Expressionismus kam dabei zugute, daß er
keine fest umgrenzte Stilrichtung war, sondern eher eine Plattform für sämtliche Ausdrucksmöglichkeiten, die nicht den Bereichen der konkret-konstruktiven oder der gegenstandsgebunde-
nen Kunst zugehörten. Unter abstraktem Expressionismus ist bis
heute eine kreative Mitteilungsform zu verstehen, die sich nicht
auf Vernunft und Systematik gründet, sondern auf Gefühl und
Spontaneität. Sie ging von emotionalen Impulsen aus und lehnte
die intellektuelle Perfektion ab. Ihre Losung lautete: »Befreiung
von der Regel, Befreiung vom Formalismus, von der Herrschaft

des Lineals und des Zirkels, Befreiung aber vor allem der un-
gehemmt strömenden Farbe von den doktrinären Formgesetzen«
(Karl Ruhrberg).

Schlüsselfigur dieser Entwicklung war Wassily Kandinsky,
der mehr als vier Jahrzehnte vorher die Malerei aus den Fesseln
der Gegenstandswiedergabe gelöst hatte. Erhebliche Bedeutung
gewannen die tiefenpsychologischen, traumatischen Erkundungen der Surrealisten. Wichtig aber wurde auch der Einfluß von
Kunstrichtungen, die, wie der Orphismus, den freien Umgang
mit der Farbe, oder, wie der Dadaismus, die Verwendung un-
konventioneller Materialien gelehrt hatten. Der abstrakte Expressionismus faßte alles zusammen. Den entscheidenden Schritt
wagte er, indem er bildimmanente Gesetzlichkeiten verwarf und
die Werkzeuge der Maler von Gefühlsregungen und subjektiven
Stimmungen führen ließ, von Zorn, Angst, Freude, Leid, Lust,
Trauer und Wut. Die Emotionen mußten sich auf dem Bildfeld

66   Nicolas de Staël, Les Martigues, 1953

67   Pierre Soulages, Komposition, 1956

68   Hans Hartung, Komposition T 55–18, 1955

ungehindert realisieren können. Sie zu lenken oder gar zu filtern hätte Verfälschung bedeutet.

Der abstrakte Expressionismus insgesamt kam zu verschiedenen Ausdrucksformen und Spielarten, deren Grenzen fließend sind. Trotzdem lassen sich Bezirke abstecken, in denen das eine oder das andere Gestaltungsmoment überwiegt, gewisse Unterscheidungen also möglich werden. In unmittelbarer Nachbarschaft des abstrakten Expressionismus steht die lyrische Abstraktion. Ein wenig in Distanz verharren Informelle Malerei, Tachismus und Action Painting.

Abstrakter Expressionismus im Sinne der französischen Ästhetik bedeutet neben allem anderen immer auch Steigerung der koloristischen Werte eines Werkes, Intensivierung der Peinture bis zum äußersten. Diese Forderung erfüllte in weitem Maße die sogenannte ›abstrakte Ecole de Paris‹, eine Künstlerschaft, die zwar keine geschlossene Gruppe bildete, jedoch gemeinschaftlich in Erscheinung trat und insbesondere Bilder relativ verwandter Art malte.

Ihr Senior war Roger Bissière (Abb. 65), dessen kleinteilige, verschwimmende Farbgerüste an seine kubistische Lehrzeit erinnern, aber auch sichtbar machen, daß es dem Künstler nicht auf die Lösung säkularer Probleme ankam. Er wollte vielmehr in seinen Bildern »ein bißchen Liebe verwirklichen«. Von unbändiger ›Malwut‹ erfüllt war dagegen der aus Petersburg gebürtige Nicolas de Staël (Abb. 66), der seine expressiven Farbausbrüche nicht mit dem Pinsel auf die Leinwand brachte, sondern mit dem Spachtel: »Man malt nicht das, was man sieht oder zu sehen glaubt. Man malt in tausend Vibrationen den Schlag, den man empfindet.«

Pierre Soulages (Abb. 67) verzichtete »auf die Gesprächigkeit der Farbe«, wie er selbst meinte, um statt ihrer sinnlichen Qualitäten die geistigen sichtbar zu machen. Er tat dies, indem er tiefes Schwarz bevorzugte und symbolhafte Verriegelungen schuf, während der aus Deutschland stammende Hans Hartung (Abb. 68) mit seinen malerischen ›Psychogrammen‹ schon sehr in die Nähe des Tachismus kam, allerdings kontrollierende Disziplin wahrte. Zu nennen sind des weiteren Alfred Manessier, Jean Bazaine, Maurice Estève, Jean Le Moal, Gustave Singier und

69   Ernst Wilhelm Nay, Verwandlung, 1950

die Portugiesin Maria Elena Vieira da Silva. Ihrer aller Farb-
flächen und Farbfiguren gerieten zu leuchtenden Wohlklängen.

Unter den Deutschen, die nicht in Frankreich lebten, stand
Ernst Wilhelm Nay der ›Ecole de Paris‹ am nächsten (Abb. 69).
Er versah seine Scheibenbilder, die vom Orphismus inspiriert
waren, mit satter norddeutscher Herbheit. Mehr der lyrischen
Abstraktion zuzurechnen sind die aus tanzartigen Schreib-
bewegungen ›gestrickten‹ Farbabläufe Hann Triers, die maschen-
artigen Strukturen Fred Thielers und die dunklen Chiffren Fritz
Winters, der sich »nach dem Grau, dem Unendlichen« sehnte, vor
allem aber das gesamte späte Werk Willi Baumeisters (Ft. 24),
der zeit seines Lebens dem ›Unbekannten in der Kunst‹ nach-
spürte und ein Buch über dieses Thema schrieb. Aus tiefsten
Gründen schöpferischen Ahnens hat er Mythen emporgehoben
und für die Traurigkeit ewigen Werdens und Vergehens Metaphern von poetischer Schönheit gefunden. Sein Stuttgarter Ate-

70   Karel Appel, Mensch, Tier, Erde, 1952

lier übrigens wurde nach 1945 zu einem Treffpunkt zahlloser
junger deutscher Maler, denn es gab unter den abstrakten deutschen Künstlern seiner Generation nur wenige, die, wie Baumeister, »die Sintflut des Terrors lebendig und wach hatten über-
stehen können« (Albert Schulze Vellinghausen).

Eine rustikale Spielart des abstrakten Expressionismus kreierte die Künstlergruppe ›Cobra‹, die nach den Städten benannt
war, aus denen ihre Mitglieder kamen (COpenhagen, BRüssel,
Amsterdam). Zu ihnen gehörten der Däne Asger Jorn, der Belgier Pierre Alechinsky sowie die Holländer Corneille und Karel

Appel (Abb. 70). Gerade bei Appel gab es immer wieder Rückgriffe auf den figürlichen Expressionismus.

Die abstrakten Expressionisten der Amerikaner orientierten
sich, wie die Beispiele Arshile Gorky, Willem de Kooning und
Adolph Gottlieb zeigen, zunächst weitgehend am Surrealismus,
um sich dann, wie Barbara Rose festgestellt hat, in zwei Lager zu
spalten: in Action Painting und Chromatische Abstraktion,
letztere etwa gleichbedeutend mit meditativer Malerei.

Tachismus

Um 1950 prägte der in Paris lebende belgische Maler und Kritiker Michel Seuphor den Begriff ›Tachismus‹, abgeleitet vom französischen ›la tache‹ (der Fleck). Damit bezeichnete er eine teils
aus dem surrealistischen Automatismus, teils aus dem abstrakten
Expressionismus hervorgegangene Malweise, deren wichtigster
Repräsentant von Anfang an Wolfgang Schulze war, genannt
Wols (Ft. 26). Der in Frankreich untergetauchte deutsche Künstler hatte in aller Heimlichkeit schon während des Krieges Bilder
tachistischen Charakters gemalt, ohne daß diese allerdings durch
spontane, eruptive Gesten zustande gekommen wären. Wols
lehnte das schöpferische Sich-gehen-Lassen sogar ab und sagte:
»Nichts ist Zufall«. Im Ergebnis aber war doch erreicht, was man
später unter tachistischer Malerei verstand und wofür Friedrich
Bayl im Falle von Wols folgende Beschreibung gefunden hat:
»Er überschwemmt jegliche an etwas gemahnende Figur durch
graue Flüsse, Bäche, Rinnsale von Terpentin, damit sie alles
Feste, alle Konturen auflösen und zernagen. Strukturen werden
sichtbar. Er geht den Spuren nach, Andeutungen werden gefaßt,
zusammengezogen, belebt, betont, gelöscht, durch farbige Sprit-
zer, Kommata, Punkte, Linien, Pinselschwünge – kürzere oder
ausholendere Gesten, für die es keine formalen oder psychologischen Gründe gibt. Sie nisten sich an unberechenbaren Stellen ein,
verknoten und verdichten sich zu Figurationen, zu Zeichen, zu
Dinglichkeiten vorher nicht gesehener Erscheinung und über-
raschender, unerklärlicher Bedeutung.«

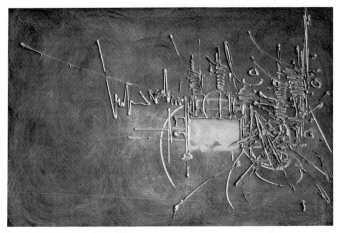

71   Georges Mathieu, Dâna, 1958

Als Bilder dieser Art 1947 in der Pariser Galerie Drouin ausgestellt wurden, hatten sie eine außerordentliche Wirkung auf eine Reihe von Malern. »Vierzig Meisterwerke, jedes zerschmetternder, aufwühlender, blutiger als das andere. Ein Ereignis, ohne Zweifel das wichtigste seit den Werken van Goghs. Wols hat alles vernichtet. Nach Wols war alles neu zu machen. Im ersten Anlauf hat Wols die Sprachmittel unserer Zeit genial, unabweisbar, unwiderlegbar eingesetzt und sie selbst zu höchster Intensität gebracht.« Das schrieb Mathieu, der selbst Tachist wurde und Farbspuren auf Leinwände geworfen hat, die die Erregung des Malprozesses elektrisierend spürbar werden lassen (Abb. 71).

Für den Spanier Antonio Saura (Abb. 72) wurde das Bild zum »Schlachtfeld ohne Grenzen. Ihm tritt der Maler in einem tragischen und lustvollen Kampf Auge in Auge entgegen und verwandelt durch seine Gesten eine passive und träge Materie in einen affektgeladenen Zyklon, in ewig strahlende, weltschaffende Energie.« Auch der Italiener Emilio Vedova (Abb. 73) hat mit jedem Pinselschlag, mit jedem Farbstaccato, das er auf die Leinwand hetzte, einen Sturm aus sich herausbrechen lassen, des-

72   Antonio Saura, Marta, 1958

sen wilde Dramatik angesichts der Bilder direkt erfahrbar und
überprüfbar wird.

Besonders zugänglich für diese künstlerische Mitteilungsform
waren lyrische Talente wie die Farbfleckmaler Camille Bryen
und Jean-Paul Riopelle sowie der Dichter-Zeichner Henri
Michaux, der in rhythmischen Niederschriften jene Schwingun-
gen des Geistes festzuhalten suchte, die mit der Sprache nicht
mehr erreichbar waren.

73 Emilio Vedova, Sbarramente, 1951

Als Michel Tapié 1951 in Paris mit einer von ihm betreuten Ausstellung auf den Tachismus hinwies und die neue Kunsttendenz ein Jahr später in seinem Buch ›L'art autre‹ (Die andere Kunst) erläuterte, hatte das stimulierende Wirkungen weit über Paris hinaus. In Deutschland fand der Tachismus Widerhall bei Hans Platschek und K. R. H. Sonderborg sowie bei mehreren Mitgliedern der Düsseldorfer ›Gruppe 53‹: Karl Otto Götz, Gerhard Hoehme, Peter Brüning und Winfred Gaul. In Wien trat die von Monsignore Otto Maurer betreute Gruppe der Galerie St. Stephan mit ihrer vehementen Malerei auf den Plan: Arnulf Rainer, Markus Prachensky, Josef Mikl und Wolfgang Hollegha.

Action Painting

Die ›Action Painting‹ (Aktionsmalerei) ist die amerikanische Variante zum europäischen Tachismus und hat im wesentlichen die gleichen Wurzeln. In der Methode der Bildherstellung aller-

74   Sam Francis, The Over Yellow, 1957/58

dings unterscheiden sich beide Malpraktiken erheblich. Bei der
›Action Painting‹ nämlich wird die Farbe nicht mehr auf die
Leinwand gepinselt, sondern geträufelt. Und da sich ein solches
›Drip Painting‹ (Tropf-Bild) nicht von der schräg gestellten Staf-
felei gewinnen läßt, legt der Maler die Leinwand auf den Fuß-
boden und füllt sie dort mit seinen Farben und Mustern. Was
früher einmal persönliche ›Handschrift‹ war, wurde nun zu einer
Schrift aus dem Handgelenk oder der Bewegung des Unterarmes.

Schon 1945 hatte der aus Deutschland nach Amerika einge-
wanderte Hans Hofmann Versuche mit dem Drip Painting an-
gestellt. Zur ständigen Malmethode aber ließ es erst Jackson
Pollock (Ft. 27) werden. Das war 1947. Nur zu Anfang verwendete er noch den Pinsel, dann ging er über zu »Stöcken,
Spachteln, Messern und tropfender, flüssiger Farbe«, wie er
selbst berichtet hat. Blitzschnell schleuderte Pollock die Farben
auf den Grund, die dort keine Kontur mehr zu bilden, nichts
mehr einzufassen, zu gliedern oder zu trennen hatten. Ihre zu-
fällige Struktur wurde vielmehr zum Endgültigen erhoben. »Es
war ein großes Schauspiel«, berichtete Hans Namuth, ein Augen-
zeuge, »wenn die Farbe auf die Leinwand schlug, die flammende
Explosion, ihre tänzerische Bewegung, die Folter in den Augen
Pollocks, bevor er wußte, wo die nächste Entscheidung, die nächste Farbspur fallen sollte, die Spannung und Entladung dann«.
Innerhalb kürzester Frist füllte sich die ganze Fläche. Jedoch:
einmal auf die Leinwand geraten, schlossen die Öl-, Lack- und
Aluminiumfarben, die Pollock benutzte, jegliche Möglichkeit
einer nachträglichen Korrektur aus. Der Künstler mußte deshalb
»eine allgemeine Vorstellung von dem« entwickeln, was er
wollte, die Farben festlegen und ihre Reihenfolge, schließlich
entscheiden, ob tatsächlich nur geträufelt oder auch gegossen und
gespritzt werden sollte. Das Ergebnis war demnach nicht mehr
der reine, sondern der gelenkte, der »kontrollierte Zufall«, von
dem Pollock selbst sprach. Der ›Action Painting‹ haben sich in
Amerika nach Pollock noch Robert Motherwell, Sam Francis
(Abb. 74), Franz Kline und Helen Frankenthaler bedient, auch
Robert Rauschenberg in seinen Bildern um die Mitte der fünfziger Jahre.

75   Jean Dubuffet, Es läuft das Gras, es springen die Kiesel, 1956

Informelle Malerei

Der Begriff ›Informelle Malerei‹ ist eine wenig glückliche Übersetzung des französischen ›art informel‹, erstmals und zwar zu Anfang der fünfziger Jahre von Michel Tapié, dem Pariser Kunstkritiker, verwendet. Oft alternierend mit ›Tachismus‹ und sogar ›abstraktem Expressionismus‹ benutzt, soll das ›Informel‹ hier nach erfolgter Festlegung der anderen Begriffe konkret auf eine bestimmte Spezies der nicht-geometrischen abstrakten Kunst bezogen werden. Gemeint ist jene Kunst, die fast ganz peinturelos sein kann und nicht mehr ausschließlich bzw. überwiegend an den Gebrauch der Malfarbe gebunden ist. ›Informelle Malerei‹ bedeutet Hineinnahme bisher nicht üblicher Materialien in die Malerei, Integration dieser Fremdkörper, zu denen Gips, Sand, Leinen, Kies, Schlacken, Kunststoffe usw. gehören können, in das Bild selbst, Absage an die letzten Reste von Illusionismus und Herstellung einer neuen tastbaren Stofflichkeit, die durch Erhebungen und Vertiefungen in der früheren Fläche tatsächliche Raumerfahrungen möglich macht. »Der Raum ist wirklich greifbar und doch nicht erstarrt: er ist energetisch« (Friedrich Bayl).

Die Maler des Informel zerschlugen die vorgefundenen Formen und setzten an deren Stelle formlose, zerfurchte, mit Pinsel und Spachtel zusammengeschobene, immer wieder pastos vortretende Materie. Dabei haben sie sich durchaus von der sie umgebenden Wirklichkeit inspirieren lassen: von tristen Meeresanschwemmungen und Schleifspuren im Sand, von archaischen Felszeichnungen und geologischen Rapporten, von brüchigem Mauerwerk und Versteinerungen urzeitlicher Tiere. Aber die Maler verstanden ihre Werke keineswegs als Realitätsabbildungen, sondern als neu geschaffene Dinge autonomen Charakters.

Um die Jahreswende 1945/46 wurden in der Pariser Galerie Drouin erstmals Bilder informeller Art gezeigt. Sie stammten von Dubuffet und Fautrier. Die Ausstellung verblüffte und beunruhigte Kritik wie Publikum gleichermaßen, was um so weniger verwundert, als damals kaum jemand ahnte, wie sich die Kunst unter der lärmenden Oberfläche des Krieges weiterentwickelt hatte. Am meisten schockierte Jean Dubuffet, der später

76   Antoni Tàpies, Painting, 1955

einmal erklärte: »Außergewöhnliche Dinge reizen mich nicht.
Auf das Banale bin ich aus. Die platte, nackteste Chaussee ohne
jede Besonderheit, irgendeine dreckige Diele oder ein staubiger
Boden, die niemand beachten würde (und noch weniger malen),
machen mich trunken.« Dubuffets ›L'art brut‹, seine ›rohe

196

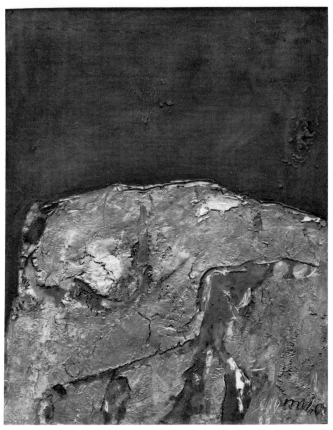

77   Emil Schumacher, Joop, 1963

Kunst‹, wie er sie selbst nannte, gab den Auftakt zur informellen Malerei (Abb. 75).

Einen sehr verbindlichen Ausdruck hat diese Kunst im Werk des Spaniers Antoni Tàpies (Abb. 76) gefunden. Ihm gab das Erlebnis der karstigen, von unzähligen Sommern zerglühten

Landschaft seiner Heimat, den entscheidenden Impuls. Aber er hat nicht Kleinwelten einer größeren Welt geschaffen, nicht Miniatur-Ausschnitte einer Realität, sondern eigene Welten, die nichts als sich selbst manifestieren.

Dem Spanier künstlerisch am nächsten verwandt ist der Deutsche Emil Schumacher (Abb. 77), der die grobe Materie verwandelt und eine Art neuer, heiler Welt konstituiert. In seiner Nähe steht Karl Fred Dahmen, während die quasi-gemauerten reliefartigen ›Geologien‹ des Holländers Jaap Wagemaker einen stärkeren Bezug zu den Sackbildern Alberto Burris haben. Zu erwähnen ist in diesem Zusammenhang nicht zuletzt der Deutsche Bernard Schultze mit Bildern, die er ausdrücklich als ›Geografische Situationen‹ bezeichnet hat.

Meditative und Monochrome Malerei

Meditative und monochrome Malerei waren Gegenreaktionen auf die Farbstürme des abstrakten Expressionismus und auf die banale Materialität des Informel. Beide Ausdrucksformen setzten, in Amerika beginnend – wo man auch von chromatischer Abstraktion sprach –, bereits während der frühen fünfziger Jahre ein. Weitgehend inspiriert wurde diese Malerei durch das Erlebnis ostasiatischer Kunst sowie durch eine intensive Beschäftigung der Maler mit dem Denken und der Philosophie der Chinesen, Inder und Japaner (Zen-Buddhismus).

Die meditative Malerei besteht aus großen, in sich kaum abgewandelten Farbfeldern, aus denen zunehmend jede Gestik verbannt wurde. Zwar ließen Clyfford Still und Adolph Gottlieb wiederholt Momente einer inneren Farbbewegtheit erkennbar werden, doch dominiert durchgehend der Eindruck der mächtigen Monochromie. Er verstärkte sich bei den Amerikanern noch dadurch, daß sie riesige Bildformate zu verwenden begannen (Still war der Pionier). Ad Reinhardt kam von geometrischen Grundmustern her, während Mark Rothko Raumzeichen schuf (Ft. 25), die durch ihre rechteckige Binnenform als Meditationstafeln erscheinen, »gleichsam in einem atmosphärischen Kontinuum schwebend« (Barbara Rose). Die sensitive Behandlung der Ränder, die in die benachbarten Felder hinüberfließen und eine leichte Vibration erzeugen, machen die Suggestivkraft dieser Kompositionen aus.

Viele junge Künstler verehren Barnett Newman als jenen Künstler, der ihnen den Weg zur meditativen Malerei eröffnet hat, denn für diesen Amerikaner war das Bild Meditationsobjekt.

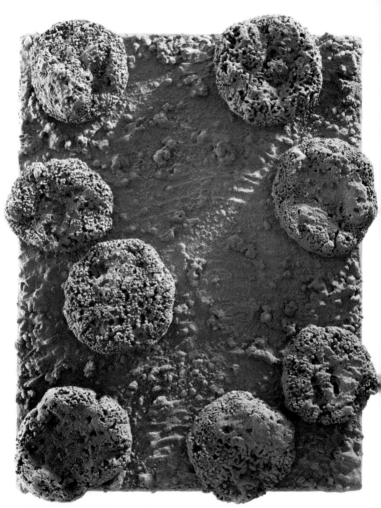

78   Yves Klein, Schwammrelief RE 3, rot, o. J.

Der Betrachter soll seiner Malerei gegenüber keine distanziert-
analysierende Haltung einnehmen, sondern durch die hypnotische
Kraft des Farbraumes zu einem gesteigerten Bewußtsein seiner

79 Günther Uecker, Weiße Mühle, 1964

selbst gelangen. Es ist bezeichnend, daß Newman ausdrücklich
forderte, seine großformatigen Bilder aus nächster Nähe anzu-
sehen.

Die Monochrome, d. h. einfarbige Malerei der Europäer geht bis zu einem gewissen Grade auf den Italiener Lucio Fontana zurück, der bereits 1946 in seinem ›Manifesto blanco‹ eine neue dynamische Kunst forderte, bei der räumliche wie farbliche Gestaltung sowie Klang, Licht und Bewegung zusammengefaßt werden müßten. Da er die Malerei verräumlichen wollte, begann er 1949 die Malfläche anzugreifen, die bis dahin als unantastbar galt. Er schlitzte sie auf und durchlöcherte sie, wodurch eine neue Dreidimensionalität entstand (Ft. 28). Später kam der Franzose Yves Klein hinzu, der sich selbst ›Yves le Monochrome‹ nannte. Er schuf vollkommen einfarbige Werke, teilweise mit farbig getränkten Schwämmen versehen (Abb. 78).

Parallel dazu schlossen sich in Düsseldorf Heinz Mack, Otto Piene und Günther Uecker zu einer Gruppe zusammen, für die sie die Bezeichnung ›Zero‹ (Null) erfanden. Ausgehend von den monochromen und meditativen Erkundungen Rupprecht Geigers, Almir Mavigniers und Lothar Quintes sollten Farbe und Licht, wie das 1958 veröffentlichte Programm verkündete, in ihren realen Erscheinungen zur Anschauung gebracht werden. Basierend auf den späten Werken Mondrians und den Licht-Raum-Experimenten von Moholy-Nagy, inspiriert auch von der »ungenierten geistigen Lebendigkeit Yves Kleins« (Piene), wurde »Kunst nicht länger als Ausdruck des leidenden Menschen verstanden, sondern als Artikulation von Naturkräften, Licht, Feuer, Rauch, Wind« (Wieland Schmied). ›Zero‹ trat bald aus den malerischen Bezirken heraus, indem Räume neu artikuliert und mit Lichtenergien gefüllt wurden, doch gingen von den Rauch- und Feuerbildern Pienes, den reflektierenden Aluminium-Glas-Flächen Macks und den Nagelbildern Ueckers (Abb. 79) mancherlei Wirkungen auch auf die Malerei aus, nicht zuletzt auf die Op Art.

Neue konkrete Kunst

Die neue konkrete Kunst vereinigte die Ideen des osteuropäischen Konstruktivismus, der geometrisch intendierten Malerei des Bauhauses und der konkreten Kunst im Sinne van Doesburgs. Sie knüpfte unmittelbar nach dem Zweiten Weltkrieg an ihre Vorläufer an, blieb jedoch für eine gewisse Zeit im Hintergrund der öffentlichen wie der künstlerischen Aufmerksamkeit, da der abstrakte Expressionismus als das bewegend Neue empfunden wurde und in allen seinen Spielarten die internationale Kunstszene beherrschte. Trotzdem hat die Bildgestaltung mit geometrischen Mitteln zu keiner Zeit eine Unterbrechung erfahren. Dafür sorgten sowohl die älteren Verfechter der konkreten Kunst, unter ihnen vor allem die beiden Schweizer Max Bill (Abb. 36) und Richard Paul Lohse, wie auch eine bemerkenswert große Zahl jüngerer Maler. Einer der wichtigsten Schauplätze war Paris, wo in Nachfolge der einstigen Künstlervereinigung ›Abstraction-Création‹ bereits 1946 der gleichgerichtete ›Salon des Réalités Nouvelles‹ gegründet und von 1955 an die private Galerie Denise René zu einem festen Stützpunkt der konkreten Kunst wie dann bald auch der Op Art wurde.

Zu den prominentesten Vertretern der neuen konstruktiv-konkreten Malerei gehörte Auguste Herbin (Abb. 80), der auf Grund theoretischer Erarbeitungen zu der Überzeugung gelangt war, »daß zwischen Buchstaben, Tönen, Farben und Formen geheime Beziehungen bestehen, und daß es möglich sein muß, Buchstaben oder Töne durch Farben und Formen auszudrücken. Er hat ein System von Entsprechungen aufgestellt und jedem Buch-

80   Auguste Herbin, Herdin, 1959

staben des Alphabets eine bestimmte Farbe, eine (oder mehrere)
der geometrischen Grundformen sowie einen (oder mehrere)
Töne zugeordnet« (Wieland Schmied). Von Herbin beeinflußt
wurde der in Paris lebende Deutsche Leo Breuer.

Unter den neo-konkreten Künstlern, die die geometrischen
Ausgangspositionen auf vielfältige Weise erweiterten, sind Maler
zweier Generationen zu erwähnen: die Deutschen Günter Fruh-
trunk und Gerhard v. Graevenitz, die Holländer Jan Schoon-
hoven und Hermann de Vries, der Däne Richard Mortensen, der
Schwede Olle Baertling, der in Amerika lebende Schweizer Fritz
Glarner, der Belgier Luc Peire sowie der Italiener Mario Radice
und der ganze Kreis des ›Movimento arte concreta‹ (MAC),
einer 1948 in Mailand gegründeten Künstlergruppe.

Hervorragende Bedeutung kommt Josef Albers zu, dem einstigen Bauhaus-Schüler und -Lehrer, der in Amerika eine frucht-

bare kunstschöpferische und kunstpädagogische Tätigkeit entfaltet hat. Er knüpfte an das Quadrat Malewitschs an, als er sein gesamtes reifes Werk zu einer einzigen ›Hommage to the Square‹ (Huldigung an das Quadrat) werden ließ (Ft. 29), noch intensiver aber befaßte er sich mit den Problemen der Farbe, ihres Wesens, ihrer Beziehungen und Verhältnisse. Albers: »Meine Malerei ist meditativ, ist ruhig. Ich suche keine schnellen Effekte. Das ist es, was ich will: Meditationsbilder des 20. Jahrhunderts schaffen.« Näher als bei der meditativen Malerei steht er allerdings bei der Op Art, obwohl er selbst in Distanz dazu bleiben möchte.

Op Art

Zur Entwicklung der Op(tical) Art hat sowohl die konstruktiv-konkrete Kunst beigetragen als auch die monochrome Malerei. Hinzu kamen Erfahrungen, die in den Bereichen Lichtkunst und Kinetik gesammelt worden waren. Die Op Art indes erreicht einen sehr viel höheren Grad von Abstraktheit, weil sie auf eine systematische Stimulation des Auges und eine dadurch hervorgerufene Intensivierung des Sehens abzielt. Nicht das Kunstwerk selbst ist die Hauptsache, sondern seine Wirkung auf den Betrachter, daher auch die Bezeichnung ›Optische Kunst‹. Diese Kunst »ist mehr oder weniger aggressiv und irritierend, weil unsere Wahrnehmung getäuscht oder behindert wird und weil es nicht gelingt, sie für längere Zeit zu stabilisieren, auch dann nicht, wenn man sich bemüht, von einem Detail zum anderen fortzuschreiten und den Zusammenhang zu analysieren. Die sehr verschiedenen visuellen Effekte – Bewegungsillusion, simultane Farbwirkungen, Aporie (Ratlosigkeit) der Perspektive, Überstrahlungen, Nachbilder, Spiegelungen – sind jedoch nicht Selbstzweck, sondern Mittel der Orientierung über einen Aspekt der Realität« (Günter Aust). Die Op Art verschafft mit der Flimmerwirkung beim Betrachter und mit dem vermeintlichen Erkennen tiefenperspektivischer Farbräume auf der Bildebene ein neues Illusionserlebnis, das die Trägheit des menschlichen Auges ausnutzt.

Einer ihrer bekanntesten Vertreter wurde der gebürtige Ungar Victor Vasarely (Abb. 81), der aus Bortnyiks ›Budapester Bauhaus‹ hervorgegangen ist. In seinem ›Gelben Manifest‹, 1955 ver-

81 Victor Vasarely, Paros, 1956–60

öffentlicht, forderte er vom Kunstwerk der Zukunft drei Eigenschaften: es müsse *wiederholbar,* seriell zu *vervielfältigen* und
ausbreitbar sein, worunter er die Verwendbarkeit des Grund-
musters in möglichst vielen Kunstgattungen meinte. Damit setzte
Vasarely für sein Schaffen das Original außer Kurswert: »Das
Meisterwerk ist nicht mehr Konzentration aller Qualität in *einem*

82   Bridget Riley, Descending, 1966

Endobjekt, sondern Erschaffung eines weiterführenden Proto-
typs« (Vasarely). Sein Weg führte folgerichtig zum multiplen
Werk und zur angewandten Kunst.

Als durchaus selbständige, aus dem Einzelobjekt heraus wirk-
same Bilder will die Engländerin Bridget Riley ihre rhythmisier-
ten Liniensysteme verstanden wissen (Abb. 82), während bei dem
Israeli Yaacov Agam jedes Werk zwei Aspekte hat, je nachdem,
ob man es von schräg links oder rechts betrachtet: Seine Male-

rei wird von schmalen, kantig auf den Bildgrund gesetzten La-
mellen getragen und erzielt einen sogenannten virtuellen (aus
sich selbst entstehenden) Effekt. Weitere Maler der Op Art sind
die Deutschen Ludwig Wilding und Wolfgang Ludwig, der Pole
Wojciech Fangor, der Brasilianer Almir Mavignier und der Ar-
gentinier Luis Tomasello. Nicht minder prominente Vertreter der
Op Art gibt es in ihrem außermalerischen Bereich, doch soll dieser hier nicht zur Diskussion stehen.

83   Kumi Sugai, Parkplatz im Wald der Sonne, o. J.

Hard-Edge-Painting / Signal-Malerei

Im Hard-Edge-Painting vereinen sich Elemente der konstruktiv-konkreten Malerei und der Op Art mit den leuchtenden Kunststoffarben der Signal-Malerei zu einem Bildtypus, der durch klar definierte, meist geometrische Formen mit scharfkantig voneinander abgegrenzten Umrissen bestimmt wird. Die Formelemente beschränken sich auf Kreis, Quadrat, Streifen, Rechteck, Rhombus und gewellte Farbbahnen; die Farben sind von kräftiger, suggestiver Wirkung.

Als Hauptvertreter dieser Kunstrichtung, die ihren Höhepunkt in den frühen sechziger Jahren hatte, gilt der Amerikaner Ellsworth Kelly mit seinem Bemühen, der Farbe bei äußerster Minimalisierung der Formen eine eigene, ›konkrete‹ Realität zu verleihen. Sein Landsmann Frank Stella (Abb. 84) hingegen ging zu komplexeren geometrischen Formen über, wobei er matte und glänzende Oberflächen einander gegenüberstellte und »Dayglo-Leuchtfarben, Epoxydharz und gewöhnliche Anstrichfarben zu Kombinationen verband, die ebenso willkürlich wie ursprünglich sind« (Barbara Rose).

Von Schriftzeichen, die sich immer mehr geometrisierten, kam Al Held zur ›Hart-Kanten-Malerei‹, während der in Paris lebende Japaner Kumi Sugai (Abb. 83) seine Bilder aus fernöstlicher Kalligraphie entwickelte. Unter den deutschen Malern dieser Richtung ist vor allem Georg Pfahler zu nennen, bei dem die Farbe schließlich in den ihr »zugewiesenen Feldern bestimmte räumliche Bewegungen suggerieren sollte« (Rolf-Gunter Dienst).

84   Frank Stella, Sketch (Black and White) Les Indes Galantes, 1962

Farbfeldmalerei / Nachmalerische Abstraktion

Als Reaktion auf die von Gefühl und Spontaneität bestimmte
Kunst des Abstrakten Expressionismus bildete sich seit den späten
fünfziger Jahren die Farbfeldmalerei oder Nachmalerische Abstraktion heraus, nach dem Land ihres Ursprungs und der weitesten Verbreitung auch Colour-Field Painting oder Post-Painterly

85   Morris Louis, Sarabande, 1959

Abstraction genannt. Es handelt sich um eine Malerei, die ihre Wirkung ganz aus den objektiven Qualitäten und spezifischen Eigenwerten der Farbe gewinnt und für die große Formate besonders kennzeichnend sind.

Den ersten Schritt zur Farbfeldmalerei hat Helen Frankenthaler getan, indem sie mittels einer eigens erfundenen Einfärbtechnik die rohe, ungrundierte Leinwand mit dünnflüssiger Farbe durchtränkte. Der Farbe gingen dadurch Glanz und Stofflichkeit, der Leinwand die Eigenschaft eines bloßen Bildträgers verloren; gewonnen wurde die vollkommene Einheit von Farbe und Leinwand, Form und Inhalt.

Davon beeinflußt malte Morris Louis mit leuchtenden Acrylfarben seine aus parallelen Farbstreifen bestehenden ›Schleierbilder‹ (Abb. 85) sowie die spätere Serie der ›Entfaltungen‹, deren schräg verlaufende Farbbahnen nach den Rändern hin versickern, während Kenneth Noland von konzentrischen Ringen aus satt leuchtenden, vibrierenden Farben zu Bildern mit Horizontalstreifen kam, die, manchmal bis zu zehn Meter breit, ohne Anfang und Ende zu sein scheinen und den Eindruck erwecken, als sei ein Bildträger gar nicht mehr vorhanden.

Neue Ornamentik

Als der bekannte Architekt Adolf Loos 1897 erklärte, »das Ornament ist ein Verbrechen«, stand er unter dem Eindruck des alle Welt überschwemmenden Jugendstils. Ähnlich ablehnend verhielten sich die Künstler jener Stilrichtungen, die auf rationalen Ideen basierten: Kubismus, Futurismus, Konstruktivismus, Konkrete Malerei und Monochromie. Jenseits der Grenzen des Purismus jedoch hat sich das Ornament seinen traditionsreichen Platz in der modernen Malerei bewahren und sein Erscheinungsbild fortentwickeln können. Unter den Abstrakten waren es beispielsweise Hoelzel, Klee, Kupka, der späte Kandinsky, Baumeister und Mirò, die Ornamente verwendeten, unter den gegenstandsbezogenen Künstlern Matisse, Purrmann, Kirchner, Picasso und eine Reihe von Surrealisten.

Die Neue Ornamentik als ein sich verselbständigendes Phänomen setzte nach dem Zweiten Weltkrieg ziemlich gleichzeitig mit der Farbfeld- und Signalmalerei ein. Das war in Amerika. Hier sind mit bestimmten Bildern Kenneth Noland und Morris Louis ebenso zu nennen wie Frank Stella und Richard Anuskiewicz. Eigenwilligster Vertreter der Neuen Ornamentik wurde in diesem Kreis Nicholas Krushenick mit seinen starkfarbigen, raumkörperbildenden Streifenmustern. Für Italien verdienen die hieroglyphischen Kammzeichen Giuseppe Capogrossis Erwähnung, für Frankreich das vergitterte Zeichenwerk Alfred Manessiers und die sich ständig wiederholenden Geometriemuster Vasarelys, für England die emblematische Symbolsprache Alan Davies und für Japan die bunte Kästchenfeldmalerei des Toshinobu Onosato.

In Deutschland kreierte Otmar Alt turbulente Märchenszenen aus geschwungenen Linien, während Peter Brüning seine kartographischen Darstellungen in die Nähe des Ornaments führte. Arnold Leissler hat in den sechziger Jahren organisch-technoide

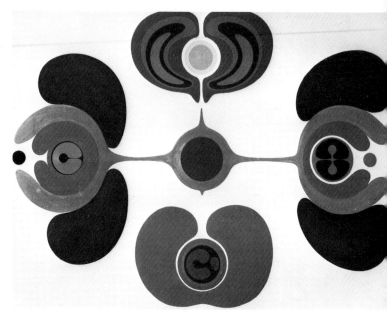

86   Gernot Bubenik, Schautafel, 1966

Flächenwesen geschaffen, Gernot Bubenik farbsatte Querschnitt-
Symmetrien in der Art didaktischer Schautafeln für den Biologie-
unterricht (Abb. 86). Doch »Friedensreich Hundertwasser ver-
körpert unter den Zeitgenossen den wohl reinsten Typ des neu-
ornamentalen Bildners« (Klaus Hoffmann). Seine bevorzugte
Figur ist die Spirale, sein liebstes Thema das Labyrinth.

Eigentümlichen Zuwachs erhielt die Neue Ornamentik in den
ausgehenden siebziger Jahren durch die Pattern Art (Muster-
kunst). Typisch für diese aus Amerika kommende Kunst »ist
eine teppich- oder tapetenhaft gesetzte Arabeskenornamentik,
wie man sie aus der orientalischen Kunst sowie vom Jugendstil
und von Matisse her kennt« (Karin Thomas). Farbkräftige, ge-
musterte Stoffstücke dienen als Grundmaterial. Mosaikartig zu
neuen Großmustern zusammengesetzt, gehen von ihnen deko-
rative, auch folkloristische Wirkungen aus.

Pop Art

Kein künstlerischer Stilbegriff des 20. Jahrhunderts hat sich international derart ausgebreitet wie die Bezeichnung ›Pop Art‹. ›Pop‹ ging von der Bildenden Kunst auf Musik und Literatur über, setzte sich in Film, Mode, Design und Werbung fest und wurde schließlich zum Synonym für das Existenzverständnis einer halben Generation, jener Jahrgänge, die mit dem Beginn der fünfziger Jahre unmittelbar in die Konsum- und Medienzivilisation unseres Industriezeitalters hineinwuchsen. Und wenn auch Pop im künstlerischen Bereich seit den späten sechziger Jahren keine Aktualität mehr besitzt, so sind doch seine Wirkungen im Alltag noch immer vielfältig spürbar.

»Der Ausdruck ›Pop Art‹ wird mir zugeschrieben«, sagt der britische Kunstkritiker Lawrence Alloway, »doch weiß ich nicht mehr genau, wann er das erste Mal benutzt wurde. Ins Gespräch kam er auf jeden Fall zwischen dem Winter 1954/55 und 1957.« Tatsächlich dürfte es 1956 gewesen sein, als in der Londoner Whitechapel Gallery mit ›This is Tomorrow‹ eine der wichtigsten englischen Ausstellungen des ganzen Jahrzehnts gezeigt wurde. Für diese Ausstellung, in der zwölf Künstlergruppen neue kreative Konzeptionen »von rein architektonischen Pavillons über Warenhaus-Auslagen bis zu einem turbulenten, ungemein eindrucksvollen Jahrmarkts-Stück« darboten, hatte Richard Hamilton eigens eine Collage geschaffen, in der die Buchstabenkombination ›Pop‹ zufällig einen prominenten Platz einnimmt. Da das Klebebild außerdem noch als Großfoto zu sehen war, hat es leicht zur Namensgebung inspirieren können. »Allerdings prägte Alloway den Begriff zunächst nicht, um einen neuen

87 David Hockney, Marriage of Styles II, 1963

Stil der Malerei, sondern um alle visuellen Ausdrücke der Konsumgesellschaft und der damit eng verwandten Massenkultur zu kennzeichnen: Comic Strips, Plakate, bunte Verpackungen, Pin Ups, das Kino – eigentlich alle populären Äußerungen einer modernen kommerziellen Volkskunst. Nur allmählich gewann Alloways Begriff seine heutige Bedeutung: nicht um die Produkte der Massenmedien selbst zu kennzeichnen, sondern die von ihnen stark beeinflußten, jedoch bewußt als Kunstwerke geschaffenen Gemälde, Grafiken und später sogar Skulpturen« (Frank Whitford).

Erstmalig nachweisbar ist ›Pop‹ auf einer schon 1947 entstandenen Collage des Engländers Eduardo Paolozzi, dort in der Pulverwolke aus einer Pistole. ›Pop‹, zu deutsch ›Knall‹ oder

88   R. B. Kitaj, Walter Lippmann, 1965/66

›Schuß‹, erscheint hier für die neue Kunstentwicklung in geradezu programmatischer Formel, doch wurden die eigentlichen Pop-
Theorien, auch wenn sie sich noch nicht so nannten, erst zwischen
1952 und 1955 erarbeitet. Sie präsentieren sich als Auflehnung
gegen verfestigte Positionen im Kunstbetrieb und zugleich als
Öffnung zu außerkünstlerischen Dingen, Vorgängen und Erfahrungen hin. Banale Objekte des Massenkonsums geraten in die
bildnerische Szenerie: Cola-Flaschen, Zigarettenschachteln,
Kitschpostkarten, Verpackungsmaterial, Autoprospekte, Ket-
chup-Tuben, Fleischbüchsen, Kleidungsstücke, Glamour-Girl-
Plakate, Toaster, Eisschränke, Autos, Mobiliar, Interieurs. Das
Trivialste, Unansehnlichste war eben gut genug. Es wurde abge-
malt oder, soweit möglich, als reales Stück in die Werke hinein-

geklebt bzw. -montiert. Von hier war der Weg nicht weit zum späteren Environment.

Vergleiche zu Dadaisten und Surrealisten drängen sich auf. Tatsächlich haben sich vor allem die englischen Pop-Künstler, vermittelt durch Paolozzi, unmittelbar auf Giorgio de Chirico, Marcel Duchamp und Miró bezogen, auch auf Max Ernst, René Magritte und Salvador Dali, deren kombinatorische Bildmethodik ihnen entscheidende Hinweise gab. Neben der älteren Pop-Generation mit Hamilton und Paolozzi sind in England vor allem Peter Blake, R. B. Kitaj (Abb. 88), Richard Smith, David Hockney (Abb. 87), Allen Jones und Peter Phillips zu nennen. Es sind indes nicht Motivwelt und Stil, die sie alle verbinden, sondern die Methode ihrer künstlerischen Reflexion über eine neu wahrgenommene Umwelt.

Unter den Amerikanern, bei denen ›Pop Art‹ seit Anfang der sechziger Jahre immer mehr als ›popular Art‹, als volkstümliche Kunst begriffen wurde, erlangten nicht die kalifornischen, sondern die New Yorker Pop-Künstler die größere Bedeutung: Andy Warhol (Ft. 31), Roy Lichtenstein (Abb. 89), Tom Wesselmann, James Rosenquist und Claes Oldenburg. Sie kamen alle von der angewandten Kunst her und haben sich deshalb in den Reklametechniken und -farben besser zurechtgefunden als ihre englischen Kollegen. Warhol entnahm, so Lucy Lippard, »seine Themen der eigenen Erfahrung, jener Erfahrung, aus zweiter Hand, an der wir alle teilhaben«. Gemeint sind die Reportagen und Bildberichte in Zeitungen und Illustrierten. Warhol gestaltete seine Arbeiten zunächst manuell, stellte sie aber bald mit kommerziellen Techniken im Siebdruckverfahren her bzw. überließ diese Ausführung Dritten. Für Lichtenstein ist charakteristisch, daß er seine motivischen Entdeckungen mit Hilfe eines Projektors vergrößerte, die Rasterpunkte mit einer Schablone ausfüllte und die Ergebnisse dann multiplizieren ließ. Die geistigen Quellen der amerikanischen Pop-Künstler sind zahlreich. Léger und Marcel Duchamp halfen, das ästhetische Klima zu schaffen. Schwitters und Picasso regten durch Collagen und Zeichnungen an. Aber auch zwei amerikanische Maler werden in Anspruch genommen: Gerald Murphy und Stuart Davis,

89   Roy Lichtenstein, M. – Möglicherweise – Bild eines Mädchens, 1965

die bereits während der zwanziger Jahre Werbe-Etiketten und Markenzeichen als Bildmotive wählten. Und schließlich half das Volk unbewußt selbst mit naiv bemalten Türen und unbeholfenen Reklametafeln. Aus der Subkultur kamen die ewig klingelnden Spielautomaten, denn Pop bedeutete vor allem auch Bewegung, Zuwendung zur Jugend, bei gleichzeitiger heftiger Reaktion gegen Konsumpropagandisten und ständig hämmernde Massenmedien. Aber Pop wollte die Angreifer nicht vertreiben. Es domestizierte sie vielmehr.

90   Robert Rauschenberg, Tracer, 1964

Neuer Realismus

Als eine Gegenströmung zur abstrakten Kunst, der man während der fünfziger Jahre allzu leichtfertig ewige Vorherrschaft prophezeit hatte, trat noch im selben Jahrzehnt ein neuer Realismus in Erscheinung, der sich allmählich zu beachtlicher Breite entwickelte. Das gilt für Europa wie für Amerika.

Für die Neue Welt und ihren ›New Realism‹ erlangte Jasper Johns Bedeutung. Er hat die amerikanische Fahne, Zielscheiben, Zahlen und Buchstaben zu Themen seiner Malerei gemacht und mit diesen Zahlen und Buchstaben das Vorbild für eine ganze Reihe weiterer Künstler, darunter den ›LOVE‹-Maler Robert Indiana, abgegeben.

Zu nennen ist aber vor allem Robert Rauschenberg. Mit Hilfe des gerade entdeckten Siebdruckverfahrens brachte er Anfang der sechziger Jahre nicht nur plane Elemente wie Tapetenstücke oder Filmausschnitte auf die Malfläche, sondern er fügte auch ganz reale Dinge wie Uhren, Klingeln, Steckdosen, Kopfkissen, Stuhlteile, Cola-Flaschen und ausgestopfte Vögel hinzu (Abb. 90). Inspiriert von den Collagen eines Kurt Schwitters hatte Rauschenberg bereits 1954 mit seinen ›Combine Paintings‹ (Kombinationsbildern) begonnen. Der schließlich erfolgte Einbezug von Konsumabfall in die gemalten Tafelbilder war jedoch so originell und kühn, daß der Künstler damit eine neue Bildästhetik kreierte, würdig der erfinderischen Kraft seines Freundes Marcel Duchamp. Der auf so konkrete Weise haptisch gewordene ›New Realism‹ wirkte nicht nur auf die Pop Art, sondern ebnete auch den Weg dazu, daß die früher gültigen Grenzen zwischen den Kunst-

91 Mimmo Rotella, Misto, 1961

gattungen, im speziellen Fall zwischen Malerei und Objektkunst, immer leichter und häufiger überschritten werden konnten.

1960 rief in Paris der Kritiker Pierre Restany den ›Nouveau Réalisme‹ mit dem Ziel ins Leben, »ohne jede polemische Absicht die soziologische Realität« zu zeigen, d. h. Kunst und Umwelt in neue Beziehung zu bringen. Was in Amerika ›Combine Painting‹ hieß, nannte man in Frankreich ›Assemblagen‹. Aber statt der Collage-Künstler gaben in Paris unter den Malern die Décollagisten den Ton an: François Dufrêne, Raymond Hains, Mimmo Rotella (Abb. 91) und Jacques de la Villéglé. Sie gewannen dem

Plakatabriß ästhetische Reize ab. Der mit Schablonen, Leucht-farben und Fotos von Glamourgirls arbeitende Martial Raysse rückte schon näher zur Pop Art.

Der Begriff des Realismus, den der französische Maler Gustave Courbet 1855 erstmals verwendete, ist stets fließend gewesen und fließend geblieben. Man hat von archaischem, klassischem und gotischem Realismus gesprochen. 1920 verkündeten zwei Plasti-ker, Naum Gabo und Antoine Pevsner, ein ›Realistisches Mani-fest‹, obwohl dieses in Wirklichkeit antirealistische, konstrukti-vistische Thesen vertritt. Und neuerdings wird sogar als Realismus etikettiert, was mit der ›gesellschaftlichen Relevanz‹ von Kunst, ja mit der Hervorbringung von Kunst schlechthin zu tun hat. ›Nouveau Réalisme‹ ist nur ein Beispiel hierfür. Der Realismus sieht sich also »bis zur begrifflichen Selbstverleugnung« (Peter Sager) strapaziert und wird dadurch gewiß nicht leichter definier-bar. Im vorliegenden Zusammenhang soll er gleichwohl als Synonym für die Abbildung von Realität verstanden werden, d. h. sich als Bezeichnung auf jene Erscheinungsformen der Male-rei beschränken, die ein Bild sichtbarer Wirklichkeit vermitteln, wie sie für jedermann erfahrbar ist oder erfahrbar sein könnte.

Fotorealismus / Hyperrealismus

»Von allen Stilformen des Neuen Realismus ist zweifellos der amerikanische Fotorealismus die neueste und radikalste« (Peter Sager). Häufig auch Hyperrealismus genannt, definiert sich der Fotorealismus als superscharfe, überexakte Wirklichkeitswieder-gabe, die sowohl den einstigen Naturalismus als auch den Realis-mus früherer Jahre weit in den Schatten stellt. Die Maler, die die neue Richtung vertreten, haben das Foto, welches manche ihrer Vorgänger noch mit einigem Argwohn betrachteten, auch wenn sie es als Gedächtnisstütze heimlich selbst benutzten, wohl endgültig hoffähig gemacht. Der Gewinn für die Malerei insge-samt dürfte sich nach den bisher vorliegenden Ergebnissen aller-dings in Grenzen halten.

»Das Foto zu nehmen ist so wichtig, wie das Bild zu malen«, hat Richard Estes, einer der führenden amerikanischen Foto-Realisten gesagt und damit zugleich angedeutet, daß der Entscheidung über die Wahl des Motivs, des Motivausschnitts und der Motivkombination, der Auf- und Untersichten, der Lichtwerte bis hin zur regelrechten Lichtregie, der Vergrößerungen bzw. Verkleinerungen usw. beim Vorlage-Foto kein geringerer Wert beizumessen ist als dem nachfolgenden Malprozeß. Häufig werden auch Diapositive zu Hilfe genommen, die, auf die Leinwand oder den Bildträger projiziert, eine Malerei mit gleichsam immaterieller Vorzeichnung gestatten.

Die Entwicklung des Fotografischen Realismus ist nachhaltig durch die Pop Art amerikanischer Prägung beeinflußt worden und hat deshalb auch in den USA die größte Gefolgschaft gefunden. Zu den bekanntesten Künstlern dieser Region gehören Ben Schonzeit, Richard Estes, Robert Cottingham, John Kacere, Malcolm Morley, John Clem Clarke und vor allem auch Howard Kanovitz (Ft. 32), bei dem romantische Visionen und

92   Alex Colville, Stop for Cows (Achtung Kühe), 1967

surrealistische Einflüsse nicht zu verkennen sind. »Sein fotografischer Realismus relativiert die Realität« (Peter Sager), indem er »unterschiedliche illusionistische Innen- und Außenraum-
perspektiven« konfrontiert. Die genannten Amerikaner vertreten sämtlich die Kunst der Ostküste, d. h. den Raum New York,
während Don Eddy, Ralph Goings, Paul Staiger und Richard
McLean West-Coast-Artists aus Kalifornien sind. Ihre Bilder
sind häufig von einer gläsernen, fast antiseptisch wirkenden
Klarheit. Der einzig bedeutende, zugleich aber international
anerkannte Kanadier in diesem Kreis ist Alex Colville (Abb.
92), der die Tradition der amerikanischen Präzisiqnisten auf
eigene Weise fortentwickelt und in der Art von Fotos malt, ohne
tatsächlich Fotovorlagen zu benutzen.

Unter den europäischen Vertretern des Fotografischen Realismus sind zu nennen: der Schweizer Franz Gertsch, der großfor-
matige Bilder in einer höchst interessanten Dia-Umsetzungs-
technik gestaltet, die beim Betrachter zu scheinplastischen Ein-
drücken führt, der Franzose Jacques Monory (Abb. 93), der

93   Jacques Monory, Meurtre Nr. 8 (Frisiersalon), 1968

dramatische, »traumhaft erstarrte Bildsequenzen in einem monochromen Blau malt, das Gottfried Benn ›die Farbe der Intro-
vertierten‹ genannt hat« (Peter Sager), der Österreicher Alfred
Hofkunst sowie die Deutschen Peter Klasen, Karolus Loden-
kämper, Fritz Köthe und Gerhard Richter (Abb. 94). Für Richter ist das Foto meist nur Anlaß zu kreativer Manipulation. Er
verwischt Konturen und Gegenstände, Gestalten und Räume zu
einer spezifischen Kenntlichkeit, zu einer verfremdenden fotografischen Chiffre.

94   Gerhard Richter, Tiger, 1972

Figurativer Realismus

Thema der Figurativen Malerei »ist die Realität der unmittelbaren Erscheinungswelt, Mensch und Gegenstand selbst, nicht ihre schon fotografisch fixierte zweite Wirklichkeit« (Peter Sager). Gleichwohl bleiben die Grenzen zum Fotorealismus von einer gewissen Durchlässigkeit, so daß manchmal schwer auszumachen ist, ob nun tatsächlich ein Foto als schöpferische Quelle gedient hat oder nicht.

Ganz klar liegt der Fall bei Dieter Asmus, Peter Nagel, Nikolaus Störtenbecker und Dietmar Ullrich, die 1965 als Studenten der Hamburger Kunsthochschule die Gruppe ›Zebra‹ gründeten. In Ablehnung der »unverbindlichen malerischen Gestik« des Tachismus, der über ein Jahrzehnt die deutsche wie die internationale Kunstszene beherrscht hatte, formulierten sie »eine handfeste Figuration, abgeleitet von Fotografien und inszeniert in einer scharf gerissenen Konturierung, malerischem trompe l'oeil und überprüfbarer Detailierung und Abstraktion« (Rolf-Gunter Dienst). Bemerkenswert dabei ist, daß sich ›Zebra‹ durchsetzen konnte, lange bevor vom Fotorealismus überhaupt die Rede war und noch ehe der Realismus insgesamt wieder aktuelle Wertschätzung erfuhr.

Umgekehrt verhält es sich mit den gestochen scharf gemalten Bildern dreier Amerikaner: den posierenden Porträts von Alfred Leslie (Abb. 95), den teilnahmslosen Akten Philip Pearlsteins und den gußeisernen Fassadendetails von Lowell Nesbitt. Man hat den Eindruck, daß sie von Fotos übertragen wurden. Auch die monumentalen Licht-Schatten-Ausschnitte, die der Deutsche Lothar Braun von klassizistischen Architekturen gewinnt, könnten auf solche Weise entstanden sein. Doch täuscht das akribische Ergebnis offensichtlich über den Enstehungsprozeß der Bilder hinweg. Pearlstein hat es, verbindlich gewiß auch für andere figurative Künstler, so formuliert: »Fotografien sind für mich als Arbeitsgrundlage nicht brauchbar, weil sie mir alles vorwegnähmen, was mir beim Malvorgang interessant ist.«

Zumindest gilt dies auch für die sogenannten ›Spanischen Realisten‹ in Madrid, deren »meisterlich variiertes Thema der Alltag

95   Alfred Leslie, Akt und Porträt: Ihre Freundlichkeit, 1968–70

ist, eine Straßen- oder Innenraumsituation, die in ihrer ausschnitthaften, exakten Dingnähe und meist menschenleeren Präsenz ein befremdendes, aber auch genügsames Eigenleben führen« (Peter Sager). Die Namen der Spanier, bei denen es sich um zwei Künstlerehepaare handelt: Antonio López-Garcia und Maria Moreno sowie Francisco López und Isabel Quintanilla. Für Holland sind Har Sanders und Jan Beutener zu erwähnen.

Zu den deutschen Malern, die ein mit der optisch erfahrbaren Wirklichkeit weitgehend übereinstimmendes Kunst-Bild liefern, gehören noch Lienhard von Monkiewitsch mit seinen weiten leeren Räumen und E. G. Willikens mit den gemalten Traumata von der ›Kasernierung des Lebens‹. Zu nennen sind des weiteren die Rückseiten- und Verpackungsbilder Jorge Stevers, die ironisch-skeptischen Porträts von Manfred Bluth und Sigi Zahns Fenster-Ansichten.

Auf Distanz zur vordergründigen Wirklichkeit gehen Dieter Kraemers stumpftonige Mitteilungen aus dem Kleinbürgermilieu sowie Karl Heidelbachs anonyme Situationsbilder eines unbestimmt-bestimmten Wartens. Noch einige Grade weiter verfremden sich die verwischten Stilleben Klaus Fußmanns und Willy Meyer-Osburgs weiß-grau verschleierte Ateliereinblicke.

Den weitesten Abstand zum geläufigen Habitus des Figurativen Realismus hält Horst Antes, der in den frühen sechziger Jahren einer der ersten Vertreter der neuen figurativen Malerei in Deutschland war. Sein Bildschema des »Kopf-Füßler-Menschen, eines zwergenhaften Wesens in Profilansicht mit meist übereinanderliegenden Augen im Zentrum eines riesigen Kopfes« (Karin Thomas) ist praktisch unverändert geblieben, während sich die monolithischen Figurenfragmente Rainer Küchenmeisters, obwohl noch eindeutig erfahrbar in ihrer physischen Körperlichkeit, bereits im Grenzbereich zur Abstraktion, nahe dem Informel eines Tàpies oder Schumacher, befinden.

Symbolischer, magischer und visionärer Realismus

Zwischen Figurativem und Phantastischem Realismus stehen Künstler, die ihren Bildinhalten eine über die vordergründige Wahrnehmbarkeit hinausreichende symbolische, magische oder visionäre Bedeutung geben. Ähnlich ihren Vorläufern, den Malern der Neuen Sachlichkeit, wählen sie simple Objekte aus dem Umfeld der einfachen Leute und der Wegwerfgesellschaft. Auch befleißigen sie sich meist einer akribischen, foto-nahen Malweise, doch richtet sich ihr Interesse nicht auf Zustandsbeschreibungen,

96 Konrad Klapheck, Schreibmaschine, 1955

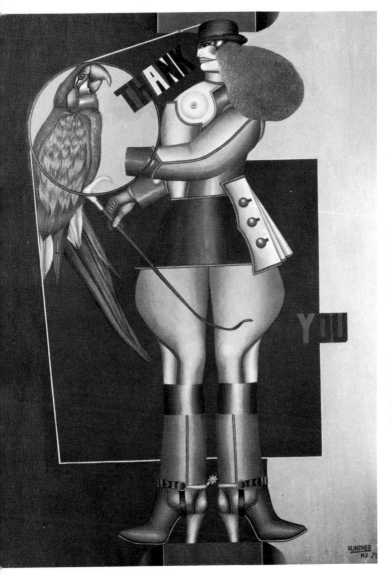

97   Richard Lindner, Thank you, 1971

sondern auf die innere Befindlichkeit des Menschen und sein Verhältnis zu einer von Technik, Konsum und Sex geprägten (westlichen) Welt.

In Deutschland fanden sich Ansatzpunkte für eine solche Entwicklung bereits in den späten vierziger Jahren bei Bruno Goller, dessen regalartige Kompositionsgerüste mit hineingestellten Blumen, Schirmen, Hüten und Maschinenteilen bei gleichzeitiger Isoliertheit der Dinge poetisch-verfremdende Wirkungen auslösen.

Breite internationale Anerkennung wurde seit Mitte der sechziger Jahre dem Goller-Schüler Konrad Klapheck zuteil, der mit seiner schon 1955 entstandenen ersten ›Schreibmaschine‹ (Abb. 96) dem »Verschwommenen« der damaligen Kunst »etwas Hartes, Präzises, der lyrischen Abstraktion eine prosaische Supergegenständlichkeit« hatte entgegenstellen wollen. Seine daraus entwickelten Bildtypen wie Telefone, Bügeleisen, Autoreifen oder Nähmaschinen sollen jedoch keineswegs als Wirklichkeitsabbildungen verstanden werden. Sie haben vielmehr Fetisch-Charakter, d. h. ihnen sind menschliche Wesenszüge eigen: Ängste und Begierden, Hoffnungen und Gefühle des Unterdrücktseins. Diese Bedeutungen und ihre vielfachen erotischen Anspielungen erschließen sich allerdings erst durch die symbolisch umschreibenden Titel.

Noch betonter erotisch akzentuiert ist die pathetische, grellbunte Figurenszenerie des Deutsch-Amerikaners Richard Lindner (Abb. 97). Dort spielt die Frau eine Doppelrolle als matriarchalische Gestalt und exhibitionistisches Verführungsobjekt, während der Mann als stimulierter Voyeur erscheint. Zwischen beiden gibt es jedoch keine Kommunikation. »Lindners Sexualfetische sind Ikonen der Versagung und Vereinsamung sowohl des Mannes wie der Frau« (Peter Gorsen).

Magische Wirkungen haben auch die kalkigen Darstellungen überdimensional vergrößerter Finger-›Verletzungen‹ des Lambert Maria Wintersberger sowie die weitläufigen perspektivischen Innenarchitekturen Hans Peter Reuters, die, fensterlos und einförmig blau gekachelt, je nach Stimmungslage des Betrachters an erhabene Meditationsstätten, altrömische Bäder oder ausweglose Desinfektionsanlagen denken lassen.

Leere Tische und Sessel, leere Fahrstühle und Kleidungsstücke gehören zu den letzten Hauptmotiven Domenico Gnolis. Der bereits mit 36 Jahren verstorbene italienische Maler hat Hemdkragen und Krawattenknoten (Abb. 98), Schuhe und Knopflöcher mit minuziöser Genauigkeit zu Monumentaldarstellungen verwandelt. Nirgendwo stört ein Mensch diese Magie der Leere, und doch bleibt er stets auf hintergründige Weise präsent.

Bedeutendster Vertreter einer visionären Ausdrucksweise mehr expressiven Charakters ist der Engländer Francis Bacon (Ft. 30). In bedrückend kahle, ortlose Innenräume eingeschlossen, werden geschundene Menschen und ausgeweidete Kreaturen vorgeführt, Frauen, Männer und Kinder, Freunde, Anonyme und Päpste, Zeugen des beschädigten Lebens der Gegenwart. »Ich habe immer das Lächeln zu malen versucht, aber es gelang mir nicht. Die Wahrheit ist etwas Verzweifeltes.«

98   Domenico Gnoli, Krawattenknoten, 1968

Phantastischer Realismus

Das Phantastische in der Kunst ist zeitlos, weder an eine Gegenwart noch an eine bestimmte Ausdrucksform gebunden. Es reflektiert das menschliche Bedürfnis, Zugang zu Traumwelten und Geheimnissen zu erhalten, zu Visionen des Wunderbaren. Es läßt aber auch Nachtseiten sichtbar werden: Heimsuchungen, Entsetzen, das Empfinden von Ausgesetzt- oder Eingeschlossensein, denn »phantastische Kunst ist der präzise Ausdruck einer unbestimmten Angst, sie gibt einem verschwommenen Gefühl die exakten Konturen« (Wieland Schmied).

Etwa ein Vierteljahrhundert hatte der Surrealismus die meisten Erscheinungsformen phantastischer Kunst absorbiert. In diesem Zeitraum ist Phantastische Kunst ohne surrealistische Komponente kaum anzutreffen und jedenfalls ohne Bedeutung. Erst nach 1945 änderte sich die Situation, als der Surrealismus seinen Höhepunkt überschritten hatte und die Phantastik erneut frei wurde, eigene Wege zu gehen.

Seither geschieht die Beschwörung des Phantastischen wieder aus eigenen Intentionen, aber auch mit so unterschiedlichen Mitteln, daß es zu gruppenmäßigen Stilprägungen nicht gekommen ist. Übereinstimmung besteht unter den Malern nur dahingehend, daß sie Alltägliches rätselhaft machen und für das Unbegreifliche künstlerische Ausdrucksformen suchen. So hat der Schweizer Max von Moos, von Freud beeinflußt, mit düsteren Raumhöhlen und mystischen Orientstädten eine Individualmythologie erschaffen, während der Engländer Graham Sutherland mit seinen tropisch erhitzten Pflanzenwelten, in denen Stacheln und Dornen die Blätter und Blüten ersetzen, eine Botanik der Aggressionen kreierte.

In Deutschland galten nach dem Zweiten Weltkrieg Richard Oelze (Abb. 40), Mac Zimmermann und Edgar Ende lange als die einzigen Phantasten, ehe man auf Heinz Trökes und Heinrich Richter, Roger Loewig und Peter Ackermann, Uwe Bremer und Peter Collien aufmerksam wurde. Schließlich trat auch Bernard Schultze mit seinen wuchernden Figurationen in Erscheinung, die zwar längst aus ihren Bildflächen herausgerückt waren,

99 Hans Bellmer, La petite chaise Napoléon III., 1956

durch die malerische Art ihrer Inszenierung jedoch in Reichweite der Malerei verblieben.

Das erotische Element spielt, wie schon bei den Surrealisten, auch bei zahlreichen Vertretern des Phantastischen Realismus eine bestimmende Rolle. Meret Oppenheim, Leonor Fini sowie Max Walter Svanberg sind hier zu nennen, unter den Deutschen Paul Wunderlich mit seinen weiblichen Fischgestalten und der erst spät entdeckte Buntstiftmaler Friedrich Schröder-Sonnenstern, der seine Sexus-Welt psychopathologisch im Grenzbereich zwischen Genie

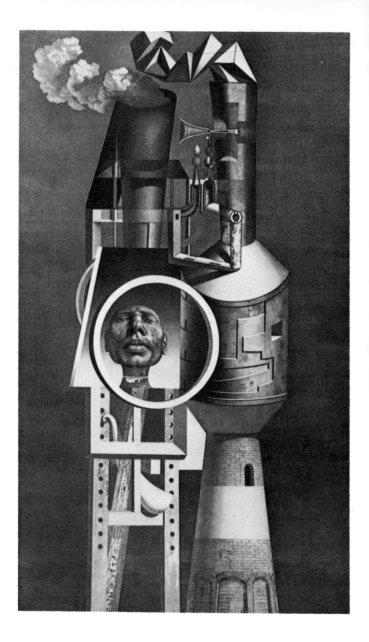

und Irrsinn verschlüsselt hat. Die meisterlichste Form in diesem Bereich hat jedoch Hans Bellmer gefunden (Abb. 99), der die Wirklichkeit dematerialisiert, transparent macht, um im labyrinthischen Durchdringen des menschlichen Körpers zugleich die Triebkräfte des Eros als ein Gleichnis des Schöpferischen sichtbar werden zu lassen.

Eine gewisse Popularität unter den Phantasten hat die ›Wiener Schule des Phantastischen Realismus‹ erlangt. Ihre Keimzelle war die Malklasse von Albert Paris Gütersloh an der Wiener Akademie kurz nach dem Zweiten Weltkrieg. Ein gemeinsames Programm hat es allerdings auch hier nie gegeben. Während Erich Brauer in naive Paradiese lockt, bevorzugt Ernst Fuchs alttestamentarische Motive und kabbalistische Symbolik. Die Geschöpfe Wolfgang Hutters bewegen sich in Gärten aus künstlichen Blumen, während Anton Lehmdens altmeisterliche Filigranwelt tragische Aspekte zeigt und Leherb (d. i. Helmut Leherbauer) einen ›Zerstückelungs-Surrealismus‹ betreibt, indem er aus den Trümmern zerstörter Formen collageartig neue Bilder kombiniert. Rudolf Hausner ragt heraus (Abb. 100): Er setzt den Phantastischen Realismus in ein geometrisches, fast schon konstruktivistisches Gehäuse, wobei es ihm »um die systematische Visualisierung der Elemente seines Unterbewußten geht, nicht um einen phantastischen, sondern um einen psychischen Realismus« (Wieland Schmied).

Kritischer und Politischer Realismus

Totalitäre Systeme verweisen kritische Kunst in den Untergrund, in demokratischen Gesellschaften gehört sie zum täglichen Leben. Und: Die Sprache politischer Kunst muß eindeutig und hart sein, um im Lärm von Informationsmedien und Konsumwerbung überhaupt noch vernommen zu werden.

Das sind zwei zeitgemäße Grundbedingungen für das Entstehen und die Entwicklung eines Kritischen und Politischen Rea-

◁ 100   Rudolf Hausner, Adam nach dem Sündenfall, 1956

101   Renato Guttuso, Das Café Greco, 1976

lismus, der sich zudem ohne das überzeugende Engagement von Einzelgängern kaum denken läßt.

Vor dem Ersten Weltkrieg hat der Futurismus aggressiven politischen Charakter gehabt, danach der Verismus. Seither ist es, Kunstpropaganda für parteipolitische Zwecke nicht gerechnet, zu keiner kritischen Manifestation bedeutenderer Art mehr gekommen. Selbst der Pariser Mai 1968 mit seinen internationalen Folgen hat kaum etwas in Bewegung gesetzt.

Die einzige Ausnahme in Europa bildet Spanien, dessen Künstlerschaft weitgehend geeint war im Kampf gegen die Diktatur Francos. Die antifaschistische Haltung der zahlreichen prominenten Maler Spaniens allerdings hat – vom unvergleichlichen Sonderfall Picasso abgesehen – nicht im selben Umfang auch zu kritischen Kunstwerken geführt. So verdienen Erwähnung nur wenige, unter ihnen Juan Genovés mit seinen Chiffren der menschlichen Grundbedrohungen Gewalt, Flucht und Tod sowie Manuel Valdes und Rafael Solbes, die sich 1964 zur ›Equipo Cronica‹ zusammenschlossen und mit Hilfe reproduzierter, übermalter Meisterwerke der spanischen Kunstgeschichte anspielungsreiche Zitatcollagen schufen. Zu nennen ist vor allem Rafael Canogar, der, ebenfalls seit 1964, für seine Arbeiten Fotos von Demonstrationen, Verhaftungen und Gefangenen verwendete und schließlich Polyester-Figuren von provokativer Wirkung vor seine Leinwände stellte.

Für Italien ist besonders Renato Guttuso hervorzuheben, der für die Darstellung sozialkritischer, teilweise auch agitatorischer Sujets einen dramatischen, expressiv farbigen Stil entwickelte, übrigens gleichfalls unter Verwendung von Fotovorlagen und Bildzitaten (Abb. 101).

Unter den deutschen Künstlern in der Bundesrepublik, die mit politischen und gesellschaftskritischen Themen provozieren und betroffen machen wollen, sind Wolf Vostell mit seinen in der Art Rauschenbergs kombinierten Decollagen und Siebdruckbildern sowie, am Rande der Malerei, Klaus Staeck mit seinen lapidartreffsicheren Plakaten und Grafiken zu nennen.

Bedingt durch seine geopolitische Lage mit den mannigfachen Ansatzpunkten für ideologische Konfrontation und soziale Auseinandersetzung ist West-Berlin allmählich, verstärkt seit der Studentenbewegung 1968, zu einem Brennpunkt des Kritischen und Politischen Realismus in Deutschland geworden. Beigetragen haben dazu Maler wie Wolfgang Petrick mit einem die Wirklichkeit aggressiv verdichtenden «Pandämonium individueller und sozialer Mißbildungen» (Peter Sager), Peter Sorge als Argumentator gegen die Reizüberflutung durch die Medien, Hans-Jürgen Diehl als bildnerischer Berichterstatter über die Methoden von Gesellschaftsmanipulation und deren untergründige Mechanismen sowie Jürgen Waller mit seiner Kritik an der sogenannten kritischen Linken und ihren Propagandaklischees. Parodistische Kraft ganz eigener Art entfaltet Johannes Grützke (Abb. 102), indem er allen Personen seine eigenen, oft ins Fratzenhafte verzerrten

102 Johannes Grützke, Komm, setz' dich zu uns, 1970

Gesichtszüge gibt: die manieristischen Verschlüsselungen dienen
zugleich der ironisierenden Enthüllung. Dem Berliner Kreis gehören ferner Hermann Albert, Maina-Miriam Munsky, Klaus
Vogelsang, Jürgen Waller und der in Hamburg lehrende K. P.
Brehmer an.

Aus Kolumbien hat Fernando Botero auf sich aufmerksam gemacht, mit grotesk-naiven, aufgedunsenen Fleischmonstren, die
als »Symbole einer degenerierten Kolonialbourgeoisie« (Karin
Thomas) zu verstehen sind, während aus Island Erro (d. i. Gud-
mundur Gudmundsson) nach Paris übersiedelte, wo er sich als
ein »gigantomanischer Bildverwerter der Kunst- und Weltgeschichte« (Peter Sager) betätigt, indem er Plakate und Comics zu
ebenso witzigen wie absurden Polit-Konstellationen collagiert.

Malerei im Ostblock

Die Kunst im Ostblock, d. h. in der Sowjetunion und den europäischen Ländern ihres Machtbereichs, unterscheidet sich von der westlichen Kunst grundsätzlich durch ihre staatliche Reglementierung. Zwar bleibt es den Künstlern unbenommen, auch Werke zu schaffen, die mit dem staatlichen Interesse nicht in Einklang stehen (es gibt kein Malverbot wie im Dritten Reich für die sogenannten »Entarteten«), doch bedarf jede öffentliche Präsentation der behördlichen Zustimmung oder zumindest Duldung. Offizielle Anerkennung erfährt nur, was der durch die herrschende kommunistische Partei festgelegten thematischen und stilistischen Linie entspricht bzw. dieser nicht zuwiderläuft. Diese Linie heißt für die Sowjetunion seit den frühen dreißiger Jahren: Sozialistischer Realismus.

Für die anderen Länder des Ostblocks, die erst mit dem Ende des Zweiten Weltkriegs unter sowjetischen Einfluß gerieten, bedeutete die erzwungene Einführung des Sozialistischen Realismus zunächst einen Bruch mit den eigenen künstlerischen Traditionen. Ohne Rücksicht auf nationale Eigenheiten wurde von Staats wegen gefordert, daß jedes Kunstwerk »zum visuellen Transportmittel politischer Ideologie« (Lothar Lang) werden müsse. Dies galt im Prinzip für das ganze fünfte Jahrzehnt und ging einher mit intensiven Abgrenzungsbemühungen zur westlichen Kunst hin. Behindert wurden sogar Informationen (Bücher, Zeitschriften, persönliche Kontakte) über diese Kunst, wobei der »Kalte Krieg« als ein willkommener Vorwand diente.

Bereits in den fünfziger Jahren finden sich jedoch auch die ersten Ansätze zur Wiedergewinnung schöpferischer Freiheitsräume im persönlichen Bereich wie auf nationaler Ebene. Eindrucksvollste Beispiele hierfür haben die Künstler Polens geboten. Trotzdem gilt für den Ostblock nach wie vor die offizielle Kunstentwicklung in der Sowjetunion als Leitbild, als Maßstab, an dem alle individuellen kreativen Leistungen und Trends gemessen werden.

Sowjetunion

Die offizielle Kunst der Sowjetunion präsentieren nationale und regionale Ausstellungen, Veranstaltungen von Künstlerverbänden und Kulturhäusern. Für Ausstellungen im westlichen Ausland ist das Kulturministerium der UdSSR zuständig, dessen Auswahl Verbindliches darüber aussagt, wo die Möglichkeiten und Grenzen für das offizielle Kunstschaffen im ganzen Lande liegen. Für die Malerei ergibt sich daraus folgendes Bild:

Der Sozialistische Realismus in seiner doktrinären Form ist in den Hintergrund getreten. Seine Stelle nimmt jetzt ein breit gefächerter Realismus ein, der häufig noch auf die akademischen Lehren des 19. Jahrhunderts zurückgreift, sich stärker jedoch dem Impressionismus und Cézanne, der abgeflachten Nachfolge von Kubismus und Expressionismus sowie den vielfältigen Erscheinungsformen russischer Volkskunst verpflichtet hat. Als bevorzugte Themen dienen idyllische, vor allem heimatliche Landschaften und Stilleben (Georgij Nisskij, Alexej Grizai, Stanislaw Babikow, Dmitrij Kosjmin, Kira Iwanowa, Semjon Tschujkow), Familienszenen und Brigadetreffen (Petr Ossowskij, Juri Penuschkin, Dmitrij Schilinskij), Kosmonauten und Industriearbeiter (Wassilij Basow, Juri Pochodajew, Alexander Laktionow), Porträts (Viktor Iwanow, Achmed Kitajew) und Freizeitgestaltung (Walerij Grislow). Heroisches kommt nur noch selten vor, und auch der Personenkult hält sich nach Umfang und Pathos in Grenzen.

Neuerdings wird gern auf den lange verfemten Konstruktivismus der russischen Revolutionsjahre Bezug genommen, allerdings nicht auf dessen freie Darstellungsformen, sondern auf seine Übertragungen in die geometrisch-figürliche Plakatkunst. Hier

103   Boris Malujew, Gerüstbauer, 1975

verdient Boris Malujew mit seinen *Gerüstbauern* (1975) Erwähnung (Abb. 103). Aus demselben Jahr stammt der *Sommerabend auf dem Roten Platz,* von Hugo Manizer in der Art des amerikanischen Fotorealismus gemalt.

Förderung genießen zunehmend die offiziellen Kunstbeiträge der nicht-russischen Sowjetrepubliken, so z. B. aus Aserbeidschan (Tair Salachow), Armenien (Sarkis Muradian), Georgien (Georgij Toidze) und Usbekistan (Dschawljat Umarbekow). Am häufigsten treten Maler aus den baltischen Ländern in Erscheinung, etwa Indulis Zarins, Janis Pauluks, Edgar Ittner und Laimdots Murnieks aus Lettland und Evald Okas, Ludmilla Siim, Toomas Vint und Lepo Mikko aus Estland.

Weitgehend anderen Charakter hat die seit den frühen sechziger Jahren existierende und sich immer weiter ausdehnende nicht-offizielle Kunstszene in der Sowjetunion, die auch ›nonkonformistisch‹, ›unabhängig‹ und ›progressiv‹ genannt wird. Ihr sind sowohl die in der Heimat verbliebenen Maler zuzurechnen als auch jene, welche ihres künstlerischen Bekenntnisses und der damit verbundenen Pressionen wegen während der letzten Jahre aus der Sowjetunion emigrierten. Im Schaffen dieser Künstler verbinden sich mannigfaltige eigene Konzepte mit heimischen Traditionen und westlichen Stiltendenzen.

In Breite entfaltet haben sich bisher die religiöse Malerei (Oscar Rabin, Alexej Smirnow, Anatolij Wasiljew, Wladimir Bugrin und Dmitrij Plawinskij), Ornamentkunst (Michail Schemjakin und Igor Sinjawin), phantastische und symbolistische Malerei (Michail Grobman, Juri Galezkij, Anatol Brusilowskij, Igor Tulpanow, Wjatscheslaw Kalinin und Natalija Prokuratowa), die lyrische und expressive Abstraktion (Wladimir Nemuchin, Lydia Masterkowa und Walentin Woronjow), das Informel (Michail Kulakow und Lew Kropiwnickij) sowie verschiedene Varianten der neuen Figuration (Anatolij Zwerew, Ilja Kabakow, Wladimir Jakowlew, Ely Bielutin, Dmitrij Krasnopewzew, Otarij Kandaurow und Wladimir Weisberg). Der Fotorealismus (Erik Bulatow) und Einflüsse der Pop Art (Eduard Zelenin, Wladimir Jankilewskij) treten seltener in Erscheinung. Um so nachdrücklicher berufen sich die Nicht-Offiziellen auf den Konstruktivismus in seiner international zur reinen Geometriekunst fortentwickelten Form (Wladimir Jakubowitsch, Michail Nenachow, Anatolij Putilin und Eduard Steinberg). Auf derselben Grundlage ist auch die weithin bekannt gewordene Gruppe ›Bewegung‹ um den Kinetiker Lew Nussberg entstanden, bei der aber die Malerei eine sekundäre Rolle spielt.

Polen

Für die polnische Kunst kennzeichnend ist eine sehr auf Eigenständigkeit bedachte Entwicklung, die im wesentlichen drei Bereiche umfaßt: den Kolorismus, einen sich erheblich vom Westen unterscheidenden Surrealismus und den auf der ›BLOK‹-Tradition der zwanziger Jahre basierenden Konstruktivismus. Vor diesem Hintergrund hatte der Sozialistische Realismus nach dem

Zweiten Weltkrieg nur eine kurzlebige Chance, zumal zur Durchsetzung dieses Stils von Staats wegen auch nicht jener Druck ausgeübt wurde, dem sich die Künstler in anderen Ostblockländern ausgeliefert sahen.

In Polen kam es vielmehr, begünstigt durch die alten Beziehungen zum Westen, insbesondere zu Frankreich, schon während der frühen fünfziger Jahre zu lebhaften internationalen Kontakten, die viel zur Formierung einer progressiven Nachkriegskunst, zur sogenannten ›zweiten Avantgarde‹ der polnischen Malerei (Mieczyslaw Porebski) beigetragen haben.

Der Kolorismus, den es in dieser programmatischen Form nur in Polen gibt, stellt keinen Stil im eigentlichen Sinne dar, sondern bezeichnet das Ergebnis schöpferischer Eindrücke, die aus dem »emotionellen, unmittelbaren Umgang des Künstlers mit der Natur« (Aleksander Wojciechowski) gewonnen werden. Vom Postimpressionismus führt hier der Weg über eine atmosphärische Realistik (Jan Cybis, Piotr Potworowski, Waclaw Taranczewski) bis zur abstrakten Malerei (Alfred Lenica, Tadeusz Dominik). Wiederholt gibt es dabei Berührungen mit dem Surrealismus, der in mannigfachen Varianten in Erscheinung tritt: als poetischer Symbolismus (Erna Rosenstein, Jonasz Stern, Jerzy Stajuda, Kazimierz Mikulski), als magische Vision (Zdzislaw Beksinski, Jerzy Tschorzewski) und als metaphorische Phantasie (Bronislaw Wojciech Linke), die auch Züge einer grotesk-dämonischen Vorstellungswelt annehmen kann (Jan Lebenstein, Eugeniusz Markowski).

Der Konstruktivismus der Zwischenkriegszeit wurde sowohl durch Henryk Stazewski als auch durch das 1931 von ihm mitbegründete Kunstmuseum Lodz (das zweite Museum für avantgardistische Kunst in der Welt) überliefert, fand Nachfolger im Werk von Bohdan Urbanowicz und Jerzy Kalucki und strahlte zugleich in verschiedene Richtungen aus: zu den monochromatischen Arbeiten Wojciech Fangors, zu den ›Optischen Gegenständen‹ von Zbigniew Gostomski, zu den farbdynamischen Bildräumen Stefan Gierowskis und den surrealen Geometrien Stanislaw Fialkowskis. Mit der internationalen Op Art berühren sich die Quadratparzellen von Ryszard Winiarski und Jerzy Rosolowicz. Weithin bekannt geworden sind die silbriggrauen Zahlenbilder Roman Opalkas.

Zentrale Figur des polnischen Tachismus der fünfziger Jahre war Tadeusz Kantor (Abb. 104), während Aleksander Kobzdej und Zbigniew Tymoszewski zu informellen Strukturen gelangten. Als harte Rapporte der Wirklichkeit treten die Neuen Figurationen von Jacek Sienicki, Marek Sapetto, Janusz Orzybylski und Wieszyslaw Szamborski in Erscheinung.

Tschechoslowakei

Auch in der Tschechoslowakei hat man unmittelbar nach dem Zweiten Weltkrieg wieder internationale Kontakte zu knüpfen versucht. Dabei spielten die Künstler der Vorkriegszeit, soweit sie überlebt hatten, eine große Rolle. Es waren Emil Filla und Jan Zrzavy, Frantisek Tichy und Adolf Hoffmeister. Aus der Reihe der Surrealisten und Phantastischen Realisten, die in Böhmen eine lange Tradition verkörpern, sind vor allem Karel Teige und Frantisek Muzika zu nennen. Bald schon meldete sich auch die nächste Surrealistengeneration mit Josef Istler, Vaclav Zykmund und Bohdan Lacina, die sich mit weiteren Künstlern in der ›Gruppe RA‹ zusammengeschlossen hatten. Parallel dazu suchte die ›Gruppe 42‹ die Realität der modernen Welt, vor allem jene der Großstadt, auf aktuelle Weise zu erfassen. Ihr gehörten Frantisek Gross, Kamil Lhotak, Frantisek Hudecek und Bohumil Matal an.

Die Zeit der freien Entwicklung dauerte jedoch nicht lange. »1948 begannen die dogmatischen Jahre des Sozialistischen Realismus, der keine andere Kunstrichtung duldete. Die Kontakte zur Welt wurden unterbrochen. Erst in den sechziger Jahren kamen die (unterdrückten) Tendenzen wieder an die Öffentlichkeit« (Peter Spielmann). Erneut wurde der Surrealismus aufgenommen, etwa von Ladislav Guderna, insbesondere aber von Mikulas Medek, der zugleich eine Brücke zur informellen Malerei schlug. Im Grenzbereich zwischen Figuration und Abstraktion wirkten Josef Broz, Karel Soucek, Ferdinand Hloznik, Zdenek Sklenar und Pavel Sukdolak. Jan Kubicek befaßte sich mit kon-

104   Tadeusz Kantor, Pas'akas, 1957

struktivistischen Arbeiten, Zdenek Sykora mit geometrischen Abstraktionen, während Jiri Kolar seine visuellen Buchstaben-poesien komponierte. Jan Kotik brachte expressive Gestik in eigenwillig feste Strukturen, und auch Erinnerungen an den Prager Kubo-Expressionismus wurden wieder wach (Milan Laluha).

Ungarn

Die gegenwärtige Malerei in Ungarn unterscheidet sich von der anderer Ostblockländer insofern, als ihr Erscheinungsbild, wenn auch nur inoffiziell, nach wie vor vom Konstruktivismus geprägt wird. Am Anfang stand László Moholy-Nagy; aber auch Lajos Kassák und Alexander Bortnyik waren Ungarns Konstruktivisten der ersten Stunde. Da sie noch fast bis zum Ende der sechziger Jahre tätig sein konnten, ging von ihnen eine erhebliche Wirkung auf die jüngeren Künstler aus. Als Nachfolger zu nennen sind vor allem Dora Maurer, Tibor Gayor, Imre Bak, Janos Fajo, Andras Mengyan und Istvan Nadler. Die von ihnen praktizierte Ausweitung des konkreten Geometrie-Schemas zu seriellen Ordnungen und räumlichen Bewegungen geht freilich nicht zuletzt auf Begegnungen mit der Op Art Victor Vasarelys, des Ungarn in der französischen Emigration, zurück. Weil dem Konstruktivismus in Ungarn lange Zeit die öffentliche Anerkennung versagt wurde, sind übrigens auch zahlreiche Künstler der jüngsten Generation nach dem Westen abgewandert.

Erwähnenswert sind neben den originellen Lackfarben-Tachismen Sandor Kürthys noch die informellen Landschaften László Barthas sowie die Bilder Endre Balints, in denen sich konstruktive und surreale Elemente vereinen. Allerdings ist »das Phantastische als kontinuierliches Thema in der ungarischen Malerei eine Seltenheit« (Jürgen Weichardt). Zu den Ausnahmen zählen die Arbeiten von Arpad Illes und Endre Szasz, während László Lakner, inzwischen ebenfalls im Westen zu Hause, nach surrealistischen Ansätzen durch seine Schriftzug-Bilder bekannt geworden ist.

Deutsche Demokratische Republik

Für die Entwicklung der Künste in der Deutschen Demokratischen Republik brach nach einer kurzen Phase kulturpolitischer Liberalität »eine schwierige und komplizierte Zeit« (DDR-Autor Lothar Lang) an, die die ganzen fünfziger und frühen sechziger Jahre über währte. Es war die Zeit der absoluten Herrschaft des Sozialistischen Realismus. Den Künstlern blieb praktisch nur die Alternative, sich anzupassen oder nach dem Westen abzuwandern. Den zweiten Weg wählten damals schon deshalb viele, weil er bis zur Errichtung der Berliner Mauer (1961) offen war.

Mit der Situation abgefunden aber haben sich auch zahlreiche jener Künstler nicht, die in der DDR blieben und dort sogar zu staatlichen Ehren gelangten, wie z. B. der Bildhauer Fritz Cremer. Er war der erste, der »offene Verhaltensweisen gegenüber experimentellen Entwicklungstendenzen und die Abschaffung dieses dogmatischen Teufels« des Sozialistischen Realismus forderte. Das war 1964.

Seither haben die Künstler in der DDR allmählich einen gewissen Freiheitsraum gewonnen. So konnte auch ans Tageslicht kommen, was es an Erneuerungsversuchen teilweise schon seit den fünfziger Jahren gegeben hatte. Hierzu gehören in erster Linie Werke jener Maler, die heute noch als Hauptrepräsentanten der DDR-Kunst gelten: Werner Tübke, Willi Sitte (Abb. 105), Bernhard Heisig und Wolfgang Mattheuer. Sie durchbrachen das starre Realismus-Konzept mit Stilelementen, die bis dahin in der DDR tabu gewesen waren, wobei sie sich in oft virtuoser Kombinatorik ausgiebig kunstgeschichtlicher Zitate von Picasso, Léger, Kokoschka und Corinth über Dix, Grosz und die Neue Sachlichkeit bis hin zu Grünewald und der italienischen Renaissance bedienten. Diese Rückgriffe mochten um so legitimer erscheinen, als in der DDR das Historienbild, nun natürlich aus der Sicht des Klassenkampfes, wieder zu Ehren gelangte. Die vielfältig deutbaren Geschichtsinszenierungen wurden von Volker Stelzmann, Heinz Zander und Gerhard Kurt Müller fortgesetzt.

In den sechziger Jahren wurde ganz generell das plakative Klischee- und Typenbild vom Modellbild abgelöst, mit dem man

105   Willi Sitte, Im LMW (Im Leichtmetallwerk), 1977

»den sozialistischen ›Homo universale‹ als vorbildliche Persön-
lichkeit vergegenwärtigen« (Karin Thomas) wollte. Gleichwohl
läßt sich noch bis in die siebziger Jahre hinein eine »Gehemmt-
heit am Experimentieren« (DDR-Autor Hermann Raum) feststellen. .

Im siebten Jahrzehnt erweitert sich das Erscheinungsbild der
DDR-Malerei zu einem pluralistischen Panorama, ohne daß frei-
lich die Realismus-Basis aufgegeben worden wäre. Arbeiter- und
Brigadebilder sind nicht mehr heroisch, sondern zeigen indivi-
duelle Gestalten (Werner Petzold, Harry Blume, Fritz Fröhlich,
Doris Ziegler), nehmen heiter-naiven Charakter an (Wilfried
Frankenthal) oder drastisch-karikierende Züge (Sighard Gille).
Sogar kritische Positionen werden bezogen, wie in dem während
der VIII. DDR-Kunstausstellung 1977/78 heftig diskutierten
Porträt nach Dienst, mit dem Horst Sakulowski »eine Ärztin im

Zustand einer durch totalen Arbeitsstreß verursachten physischen und psychischen Erschöpfung« (Karin Thomas) festgehalten hat (Abb. 106).

Stadtansichten (Kurt Dornis, Friedrich Decker, Günter Horn) sind ebenso wie Interieurs (Uwe Pfeifer, Hans-Dieter Bartel, Werner Gottsmann) nicht selten von der Neuen Sachlichkeit inspiriert, und gelegentlich haben auch die Surrealisten Spuren hinterlassen (Hans-Joachim Biedermann, Franciscus Effendi). Aus beiden Quellen speist sich stilistisch die Wiederkehr des landschaftlichen Stimmungsbildes (Mattheuer, Edmund Kesting, Günter Richter, Peter Sylvester, Wolfgang Schlüter), wobei auch Caspar David Friedrich Reverenz erwiesen wird.

Aktdarstellungen (Harald Metzke, Albert Ebert, Erich Gerlach, Rolf Händler) sind nun statthaft, und sogar Bilder mit unverkennbar erotischen Akzenten (Hans-Hendrik Grimmling,

106   Horst Sakulowski, Porträt nach Dienst, 1976

Susanna Kandt-Horn, Willi Sitte) rufen keine offizielle Bestürzung mehr hervor.

»Mit die größte Originalität in der Bildfindung erreicht die DDR-Malerei der siebziger Jahre in der Gattung des Selbstbildnisses« (Karin Thomas). Ausgehend von den ersten Schritten im Jahrzehnt zuvor (Wolfgang Hütt, Horst Sagert, Manfred Böttcher, Max Uhlig) kommt es zu psychologisierenden Selbstreflexionen (Eberhard Löbel, Wolfgang Peuker), von denen auch Künstler- und andere Porträts (Arno Mohr, Günter Glombitza) beeinflußt werden. Gegen Ende der siebziger Jahre wird der von der SED gewährte Toleranzspielraum nochmals um ein Stück erweitert. Nun kann sich endlich auch der Altkonstruktivist Hermann Glöckner zu seiner Kunst bekennen und der junge Horst Bartnig dessen Spuren folgen. Möglich geworden sind auch stilistische Anlehnungen an den konstruktiven Realismus (Achim Heim), rhythmische Farbabstraktionen (Gil Kurt Schlesinger, Günter Horlbeck) und Collagen in Pop-Art-Nähe (Willy Wolff).

Pluralistische Tendenzen der siebziger Jahre

Der Avantgardismus galt in der modernen westlichen Kunst lange als Synonym für Strömungen, die überlieferte Formen sprengen und neue Entwicklungen einleiten. Dieses Prinzip, schon einige Zeit brüchig, mußte während der siebziger Jahre vollends preisgegeben werden. Hauptursache hierfür war die kaum noch überschaubare Vermehrung progressiver Tendenzen und ihr gleichzeitiges Auseinanderdriften, was deren Vertreter und Verkünder freilich nicht hinderte, die eigene Richtung jeweils als den wahren Avantgardismus zu reklamieren. Tatsächlich jedoch hat kein einziger der künstlerischen Vorstöße jener Jahre genügend breite Anerkennung finden oder im alten avantgardistischen Sinne stilbildend wirken können. Der aufgekommene Pluralismus ließ vielmehr unterschiedliche Erscheinungsformen gleichberechtigt nebeneinander zu, bis hin zu so kontroversen Positionen wie einem unbedingten Individualismus einerseits und der totalen Anonymisierung andererseits.

Nicht zufällig stand die Kernabteilung der Kasseler ›documenta 5‹ von 1972 unter dem Zeichen der ›Individuellen Mythologien‹, einem Begriff, den der Schweizer Ausstellungsorganisator Harald Szeemann geprägt hatte. Kunstproduktionen dieser Art besitzen in ihrer »subjektiven schöpferischen Aussage keinen gemeinsamen Nenner, sondern sie entziehen sich einer pauschalierenden Typisierung durch ihre vollkommen offene Form und einmalige Identität des Künstlers; gemeinsam ist allen ein ureigener, geistiger Raum, die konzentrierte Darstellung eigener Erlebnishorizonte« (Karin Thomas). Diese Entwicklung führte

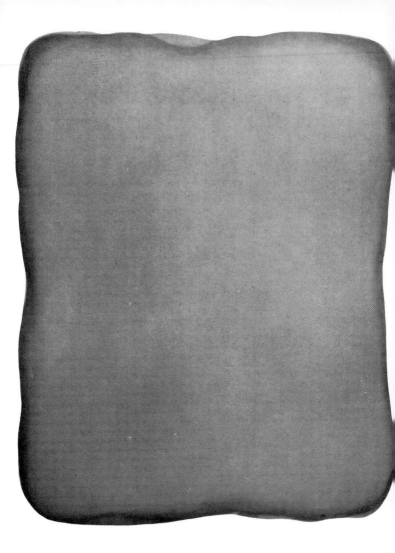

107   Gotthard Graubner, Grün-rosa Leib, 1965

schon sehr bald zu fließenden Übergängen zwischen den tradierten Kunstgattungen, zwischen Malerei, Grafik, Plastik und Architektur also, wobei die Malerei immer mehr in eine Randrolle gedrängt wurde. Gleichwohl gibt es unter den Vertretern der ›Individuellen Mythologien‹ auch Künstler, die ihren wesentlichsten Beitrag auf dem Gebiet der Malerei leisteten.

Zu diesen gehört Gotthard Graubner mit seinen meditativen Farbraumkörpern, deren bemalte Nylon-Oberflächen, mit Synthetikwatte hinterlegt, immaterielle Wirkung erzielen und, wie er selbst sagt, die »Farbe durch ihre Nuance erfahrbar« machen sollen (Abb. 107). Rolf Iseli, nach Jahren des Objektemachens zur Malerei zurückgekehrt, leimt die mit Vogelfedern, Rebästen und Stroh vermischte Erde seines burgundischen Weinbergs auf den Bildträger und übermalt alles in einer Weise mit Wasserfarben, daß Figuren entstehen, darunter sein eigener Schatten. Die sonnenkultischen, dem Alltag entrückten Paradiese des Michael Buthe sind häufig Mischungen aus Malerei und Objektkunst, während Jörg Immendorff eine malerische Allegorik entwickelt hat, die es ihm erlaubt, politische Situationen und künstlerische Probleme mit scheinbarer Naivität zu ironisieren (Abb. 108). An Kinder- und Höhlenzeichnungen erinnern die symbolhaften ›System- und Weltbilder‹ A. R. Pencks (d. i. Ralf Winkler) mit ihrem Strichmännchen-Repertoire, das die Amerikaner Keith Haring und Jean-Michel Basquiat, beeinflußt auch von Dubuffet und der Graffiti-Kunst, zu Beginn der achtziger Jahre variierten.

Anti-individualistischen Charakter haben neben den programmatisch nicht festgelegten, durch Sujet und Malweise unterschiedlichen, teilweise sogar gegensätzlichen Werkgruppen Gerhard Richters vor allem auch die Bilder Sigmar Polkes, die, von vielschichtigen Analogien und Parallelen zur Kunst anderer Zeitgenossen durchzogen, die Widersprüche und Klischeevorstellungen von Konsumalltag und gesellschaftlichem Leben humorvollironisch entlarven wollen.

Parallel zur ›Erweiterung des Kunstbegriffs‹, wie die von Joseph Beuys geprägte Formel lautet, kam es nicht nur zur erwähnten Überwindung der binnenkünstlerischen Grenzen, sondern zu noch weiterer Ausdehnung. Gewonnen für die Kunst

108   Jörg Immendorff, Groß Köln, 1984

wurden Objekt, Umraum, Bewegung, Licht, physikalische und
chemische Vorgänge, Video und Fernsehen (wozu Foto und Film
schon Jahrzehnte früher Vorreiterdienste geleistet hatten), akustische, choreografische und musikalische Elemente, Produkte der
Industrie- und Konsumgesellschaft (vorzugsweise ihre ausge-
dienten Reste) sowie die Natur als Schauplatz und Gestaltungs-
material. Auf einige entsprechende Phänomene im Bereich der
Malerei wurde bereits verwiesen. Für die künstlerische Einbin-
dung der darüber hinausreichenden Dinge und Abläufe haben
sich folgende Bezeichnungen durchgesetzt: Happening, Environment und Fluxus, Performance, Minimal Art, Arte Povera, Land
Art und Spurensicherung, Narrative Art, Video-Kunst, Material-
kunst, Prozeßkunst, Körperkunst und Konzeptkunst. Bei der
Konzeptkunst (Concept Art) existiert das geschaffene Werk
nicht mehr in der geläufigen materiellen Form, sondern nur
noch in der Umschreibung durch Texte, Diagramme und Fotos,
wenn nicht gar, völlig entmaterialisiert, allein in der Idee seines
Schöpfers. Diese Entwicklungen können im vorliegenden Zusammenhang außer Betracht bleiben.

Analytische Malerei

Trotz ihres weitgehend theoretischen Charakters ist die Konzeptkunst nicht ohne Einfluß auf die weitere malerische Entwicklung
geblieben. Das zeigt sich vor allem bei der Analytischen Malerei,
für die man, Titeln entsprechender Ausstellungen der frühen
siebziger Jahre folgend, auch die Bezeichnungen Geplante Malerei bzw. Fundamental Painting eingeführt hat. Ihr geht es, wie
der Konzeptkunst, um kühle, rationale, leidenschaftslose Er-
forschung der eigenen Grundlagen, um die Erkennung objekti-
vierbarer Tatbestände und Zusammenhänge, nur eben unter
Praktizierung von Malerei.

Der Amerikaner Robert Ryman war einer der ersten, der sich
damit befaßte. Schon seit 1960, vor der Konzeptkunst also, hat
er einfarbige, meist weiße Bilder gestaltet. Offensichtlich hatten
ihn Monochrome Malerei und Op Art inspiriert. Doch ist er
dann den wesentlichen Schritt weitergegangen, der Farbe alle
emotionalen Werte zu nehmen und ihr gewissermaßen nur noch
die Materie zu belassen. So kamen Bilder zustande, in denen
die Malerei auf ihre Grundstrukturen reduziert ist und sich die
Unterschiede zwischen den einzelnen Werken lediglich aus der
Variation ihrer Basiselemente ergeben: Der Bildträger z. B. kann
aus Leinwand, Pappe, Kunststoff oder Kupfer bestehen, die
Farbe aus Öl, Emaillack oder Kunststoffprodukten und der
Farbauftrag schließlich nach dieser oder jener Methode erfolgt
sein (Abb. 109).

Der in Paris lebende Italiener Niele Toroni verwendet als
Malgründe Leinwand, Papier, Plastik oder Wände und setzt

darauf in regelmäßigen Abständen farbige Pinselabdrücke, die sich von Arbeit zu Arbeit verändern, während das Konzept des Franzosen Daniel Buren aus abwechselnd weißen und farbigen Streifen besteht. Auf Markisenstoffe übertragen bzw. durch farbig bedruckte Papierbögen, Segeltuch oder transparente Plastikfolien ersetzt, wird hier die persönliche Handschrift zugunsten einer neutralen und anonymen Wirkung preisgegeben.

Des weiteren, jedoch mit weniger programmatischer Entschiedenheit, wird die Analytische Malerei vertreten durch Raimund Girke, Kuno Gonschior, Edgar Hofschen, Ulrich Erben, die Italiener Antonio Calderara und Gianfranco Zappetini, die in Rom tätige Carmengloria Morales und den Briten Alan Green.

109   Robert Ryman, Crown, 1983

Neo-Expressionismus

Die Anfänge des Neo-Expressionismus finden sich bereits in den frühen sechziger Jahren, und zwar an der Westberliner Hochschule für Bildende Kunst. Im Widerspruch zum damals noch herrschenden Informel und zur abstrakten Kunst überhaupt entstand eine neue figurative Kunst mit expressiven Zügen, die sich freilich noch keineswegs so konkret auf den deutschen Expressionismus des ersten Jahrhundertviertels bezog, wie dies später, bei den Neuen Wilden vor allem, der Fall sein sollte. Es begann vielmehr mit einem ›pathetischen Realismus‹, den Georg Baselitz und Eugen Schönebeck, beide von der Ostberliner Kunsthochschule herübergewechselt und das Rüstzeug sozialrealistischer Malerei sozusagen im Gepäck, 1961 in ihrem ›1. Pandämonium‹ verkündeten. Unter dem gleichen Titel hatten sie dann auch ihre erste Ausstellung in der Berliner Gemeinschaftsgalerie von Michael Werner und Benjamin Katz.

Verwandte Konzepte einer subjektiv-expressiven Malerei zeigten sich in der von Bernd Koberling und K. H. Hödicke gegründeten Gruppe ›Vision‹ (1960–64) sowie bei Markus Lüpertz, der 1963 zur Berliner Kunstszene stieß. Doch der Kunstmarkt, noch ganz auf die Abstrakten konzentriert, verschloß sich der neuen Entwicklung. So kam es 1964 zur Gründung der Künstlergalerie ›Großgörschen 35‹, genannt nach der Straße und der Hausnummer im Berliner Stadtteil Schöneberg, wo die Ausstellungen stattfanden. Das Selbsthilfeunternehmen der ›Spontanmaler‹, wie sie zunächst auch genannt wurden, bestand zwar nur wenige Jahre, doch haben seine Präsentationen die jungen Maler bald weithin bekannt gemacht.

Georg Baselitz, der eigentlich Georg Kern heißt und aus Deutschbaselitz in Sachsen stammt, ist allmählich immer stärker in den Einflußbereich des ›Brücke‹-Expressionismus und Kokoschkas sowie des späten Corinth gelangt. Von 1969 an verfremdete er die Wirkung seiner Bilder, indem er die Sujets – Menschen und Bäume vor allem – auf den Kopf stellte (Abb. 110). »Die Umkehr des Motivs im Bilde gab mir die Freiheit, mich mit malerischen Problemen auseinanderzusetzen« (Baselitz).

Karl Horst Hödickes beständiges Interesse gilt der Großstadt. Waren es zunächst deren sachlich-nüchternen Aspekte, die »Reklamen, Autos, Lichterfassaden, Hinterhöfe, die er häufig verzerrt und verwischt auf die Leinwand brachte, so faszinieren ihn heute mehr die Bewohner, die Stadtindianer« (Peter Winter).

Einen Gegenpol zu den beiden Künstlern bildet Markus Lüpertz. Es ist die »Vergegenständlichung von Abstraktem, die mein ganzes Werk bestimmt«, sagt er selbst und meint damit seine Formerfindung der ›Dithyrambe‹, mit der er deutsche Themen und Denktraditionen chiffriert (Abb. 111). Zu verstehen sind darunter »stillebenhafte Arrangements von Gegenständen (z. B. Militärmütze, Stahlhelm, Palette, Schneckenhaus, Mantel), die zahlreiche emblematische, kunsthistorische, kulturgeschichtliche und politische Bezüge aufweisen« (Karin Thomas). Verwandten Geistes sind die Chiffren, die Anselm Kiefer geschaffen hat. Es handelt sich um mythologische Szenerien, z. B. um Versionen des Nibelungen-Stoffes oder um deutsche Landschaften als geschichtsträchtige Räume.

Als der gebürtige Berliner Frank Auerbach nach London verzog, führte er mit seinen pastosen Porträts und Figurenkompositionen den Neo-Expressionismus in Großbritannien ein. Eine nennenswerte mitschöpferische Resonanz aber hat er nicht finden können, wie sich der Neo-Expressionismus überhaupt als eine sehr deutsche Ausdrucksform erwiesen hat, der man im Ausland zwar mit Aufmerksamkeit begegnet, die künstlerische Impulse aber kaum auszulösen vermag.

Seine zweite Wurzel hat der Neo-Expressionismus im Informel, dem etwa Walter Stöhrer entstammt. Seine aggressive Farbigkeit ist im Grenzbereich zwischen abstraktem und figura-

10   Georg Baselitz, Der Wald auf dem Kopf, 1969

111   Markus Lüpertz, Schwarz-Rot-Gold, 1974

112   Arnulf Rainer, Rembrandt, 1969/70

tivem Expressionismus angesiedelt, während der Österreicher
Arnulf Rainer seine heftige informelle Handschrift nun zu
spannungsgeladenen Übermalungen fotografischer Porträts und
Selbstbildnisse benutzt (Abb. 112).

Postmoderne

Unter ›Postmoderne‹ (Nachmoderne) ist kein klar definierbarer malerischer Stil zu verstehen. Es handelt sich vielmehr um die Sammelbezeichnung für eine Reihe miteinander verwandter Kunsttendenzen, die sich in erster Linie durch den spontanen Umgang mit Farben und Formen charakterisieren. Der Begriff, einer breiten Strömung in der modernen Architektur entlehnt (dort 1976 durch den amerikanischen Architekturkritiker Charles Jencks eingeführt), dient der Beschreibung einer höchst subjektiven Art figürlicher Malerei, die im scheinbar respektlosen Zitieren der Kunst- und Kulturgeschichte verblüffende neue Bilder erfindet und im Heraufholen alter Mythen persönliche Erinnerungen, Hoffnungen und Bedrängnisse beschwört. Die bildkünstlerische Postmoderne, seit etwa 1978 als eigenständige Entwicklung identifizierbar, steht in Opposition nicht nur zum Purismus und zur Rationalität von Minimal Art und Analytischer Malerei, sondern auch zu den als bürgerlich-bieder empfundenen Realismus-Strömungen der sechziger Jahre, die Pop Art eingeschlossen.

Postmoderne, das war, dem amerikanischen Kunstkritiker Hilton Kramer zufolge, die »Eruption einer neuen expressionistischen Bewegung in der Kunst. Die Herausforderung kam plötzlich und gleichzeitig in verschiedenen Ländern. Ihre erste Aufgabe war es, der Malerei die Fähigkeit zurückzuerobern, jene Poesie und Phantasie in sich aufzunehmen, die ihr lange Zeit verwehrt worden waren. Statt alles aus dem Bild auszuklammern und aus dem, was übrig blieb, eine ordentliche, reine, vollkommene Form zu machen, waren die neuen Maler wild entschlossen, alles hineinzupacken. Ihre Bilder überschwemmten das Auge mit lebhaften Zeichen und taktilen Wirkungen; sie vertrauten mehr dem Instinkt und der Imaginationskraft als einer durchdachten Konzeption. Das Mystische, das Erotische und das Halluzinatorische war wieder willkommen in der Malerei, die jetzt das Makellose und Karge zugunsten von Energie, Körperlichkeit und überbordender Fülle verschmähte.«

Der Aufbruch übrigens erfolgte nicht mehr von Amerika aus, wie man das nach den Erfahrungen der späten fünfziger und der sechziger Jahre hätte erwarten können, sondern wieder im alten Europa, in Italien zuerst, gleich anschließend in der Bundesrepublik Deutschland, dann in den angrenzenden Ländern. Amerika reagierte eher erstaunt, bevor es sich der neuen Entwicklung anschloß.

Transavantgarde / Arte cifra

Mit der italienischen Avantgarde, auch Arte cifra genannt, begann die Postmoderne in der Malerei. Wer die Bezeichnungen als erster zum Stilbegriff erhoben hat, läßt sich nicht mehr mit Genauigkeit nachweisen. Unbestreitbar jedoch ist, daß der römische Kunstkritiker und Ausstellungsorganisator Achille Bonito Oliva eine wesentliche Rolle bei der (manchmal etwas lärmenden) öffentlichen Durchsetzung der neuen Ideen und ihrer künstlerischen Ergebnisse gespielt hat. Oliva: »Die Idee der Kunst am Ende der siebziger Jahre ist die, wieder das Vergnügen und die Gefahr zu entdecken, den Stoff des Imaginären, der aus Umherschweifen und Anecken, aus Annäherungen, niemals aber aus endgültigen Festlegungen besteht, kräftig zu vermengen. Die Bilder der Transavantgarde stellen Rätsel und Lösung zugleich dar. Die Transavantgarde erlaubt der Kunst eine Bewegung in alle Richtungen, einschließlich in die der Vergangenheit.«

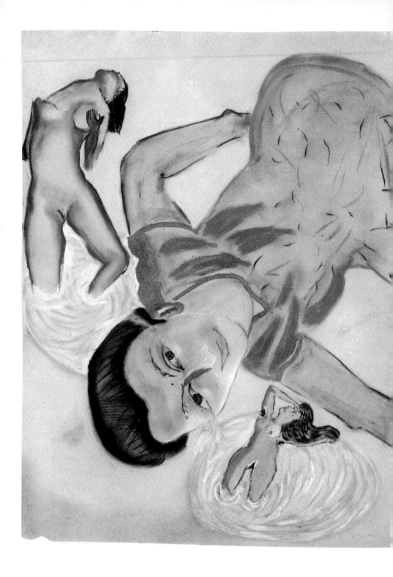

113   Francesco Clemente, Die fünf Sinne (The Five Senses), 1981

Die Maler der Arte cifra, einer Kunst »jenseits der Avant-garde«, huldigen extremem Individualismus. Sie wollen nicht mehr, wie ihre avantgardistischen Vorgänger, einer permanenten Erneuerung verpflichtet sein, nicht mehr ästhetisch experimentieren, sondern sich spontan mitteilen. Ungeniert kehren sie ihr Innerstes nach außen, ihre Befindlichkeit, ihre Gefühle und Assoziationen, weder Pathos noch Trivialität scheuend, erst recht nicht den Spaziergang durch ferne, fremde Gärten der Kunstgeschichte. Dort entlehnen sie, was ihnen gerade in den Sinn kommt, Antikes, Barockes, Früheres oder Späteres. Besonderer Beliebtheit erfreut sich die Klassische Moderne mit Picasso, Chagall und Picabia, der Pittura metafisica des Giorgio de Chirico und der Valori Plastici, vor allem, so Oliva, das »eigene, heimische Ausdrucksmittel«.

Unter Arte cifra versteht man besonders auch eine spezielle Manier des Zitierens, realisiert in Fragmenten alter Bilder und verkürzender Zeichen, durch Chiffren eben, doch auf unterschiedlichste Art kombiniert und zu neuer Bedeutung gebracht. In Enzo Cucchis Gemälden beispielsweise schweben Köpfe körperlos in verzauberter Natur, »Visionen einer emotional belebten Weltlandschaft«, während Sandro Chia die kraftvollen Gesten seiner antiken Athleten »auf robuste Weise mit proletarischem Selbstbewußtsein« (Carl Haenlein) füllt. Francesco Clemente schließlich, ein Grenzgänger zwischen den Stilen und nachhaltig auch von indischer Kunst inspiriert, läßt reale Abläufe in absurden Visionen münden. Vieles bei ihm begründet sich durch eine manisch-obsessive Auseinandersetzung mit der eigenen Sexualität, die in der Postmoderne ganz allgemein einen besonderen Stellenwert gewonnen hat (Abb. 113).

Neben den erwähnten drei Hauptakteuren der Transavantgarde sind noch zu nennen: Mimmo Paladino mit Bildinszenierungen, in denen sich Gestalten manieriert bewegen, und Nicola de Maria, der starke innere Spannungen in knappe Bildzeichen übersetzt.

Die Neuen Wilden

Die Wiederkehr der Malerei als internationales Phänomen bedeutete auch für die deutschen Maler eine »Befreiung von den repressiven Zwängen des Intellekts, der über die Kunst der vergangenen Dekade seine Herrschaft ausgeübt hatte« (Robert Rosenblum). Lange aufgestauter ›Hunger nach Bildern‹, so ein treffender Buchtitel, brach sich Bahn und mit ihm das Aufbegehren einer jungen Generation gegen die sich mehrenden Bedrängnisse der verwalteten Welt. Zurückgegriffen wurde auf bewährte Sujets, auf Figur, Stilleben, Genre und Landschaft, auch wurde an ›heimische Ausdrucksmittel‹ angeknüpft, wie Oliva sie für die Italiener beschrieben hat, nur trugen diese im deutschen Falle nicht barocke oder surrealistische Züge, sondern expressionistische. Der deutsche Expressionismus, für viele schon recht weit in die Geschichte gerückt, begann für die jungen Maler plötzlich eine wichtige Rolle als Fundgrube und Kräftereservoir zu spielen. Das Neue allerdings ist »weniger ein Aufguß der Brücke-Kunst als eine durch das Polaroid gefilterte Expressivität; der Rückgriff auf das Formenarsenal der Kunstgeschichte ist ebenso subjektiv wie allumfassend« (Ernst Busche). Ausgebeutet werden nächst dem Expressionismus van Gogh und Pop Art, Picabias Dada und der späte Picasso. »Das Kennzeichen der Neuen Wilden ist, daß sie, mal souverän, mal platt, einen frappierend selbstverständlichen Umgang mit den formalen Errungenschaften der Moderne pflegen« (Uwe M. Schneede).

Die großflächigen Figurationen entstehen unmittelbar aus der Farbe, die möglichst flüssig und mit raschem und breitem Pinselstrich aufgetragen wird. Der Malprozeß vollzieht sich, wenngleich kontrolliert, mit solcher Heftigkeit, daß im Ergebnis wieder einmal ästhetische Normen ins Wanken geraten. Daraus erklärt sich schließlich auch die hitzige öffentliche Debatte, die über Wert bzw. Unwert der Malerei der Neuen Wilden geführt wird.

Dem Titel einer Ausstellung im Berliner Haus am Waldsee von 1980 folgend, hat man den neuen Stil ›Heftige Malerei‹ genannt, während die Bezeichnung der Künstler selbst auf eine

Ausstellung der Neuen Galerie – Sammlung Ludwig in Aachen zurückgeht. Diese war im selben Jahr einem Vergleich der französischen Fauves vom Beginn des Jahrhunderts mit aktueller deutscher Malerei gewidmet: ›Les Nouveaux Fauves / Die neuen Wilden‹. Zwar bestand der deutsche Beitrag hauptsächlich aus Bildern der Neo-Expressionisten, doch erwies sich das Etikett der ›Neuen Wilden‹ als so einleuchtend und griffig, daß es bald auf die Heftigen Maler übertragen wurde und diesen blieb.

Die Malerei der Neuen Wilden, inzwischen weit verbreitet, hat sich innerhalb Deutschlands vor allem in Berlin, Köln und Hamburg entwickelt.

Berlin

1977 gründeten die Kunststudenten Salomé, Rainer Fetting, Helmut Middendorf und Bernd Zimmer im Berliner Bezirk Kreuzberg nahe dem Checkpoint Charlie die Galerie am Moritzplatz. Es handelte sich, wie vordem beim Großgörschen-Unternehmen der Neo-Expressionisten, um eine Selbsthilfeeinrichtung, denn niemand sonst wollte die als kunstlos eingestuften Bilder dieser Maler ausstellen. Drei Jahre später gelang der Durchbruch zur öffentlichen Anerkennung mit der bereits erwähnten Kollektivschau der ›Heftigen Malerei‹ im Berliner Haus am Waldsee.

»Die Berliner bildeten eine sehr eigene und mit westdeutschen oder anderen Gruppen nicht zu verwechselnde Gemeinschaft, die zeitweise so homogen war, daß man die Handschrift der einzelnen Mitglieder nur schwer auseinanderhalten konnte, insbesondere wenn sie Bilder gemeinsam malten wie u. a. in der Kreuzberger Discothek SO 36« (Ursula Prinz). Zur profiliertesten Gestalt unter den Berlinern wurde der aus Karlsruhe stammende Salomé (d. i. Wolfgang Cilarz), der sich nicht nur in exhibitionistischen Performances produzierte, sondern auch an Themen wagte, die bis dahin als tabu galten (Abb. 114). Mit herausfordernder Direktheit ermöglichte er »den vehementen Einbruch der Sexualität in die Kunst« (Jean-Christophe Ammann). Am engsten verbunden ist ihm Rainer Fetting, der in

114   Salomé, Blutsturz, 1979

der Sujetwiederholung sein Arbeitsprinzip erkannt hat und Männerkörper in wechselnden Konstellationen zeigt. Emotional nicht weniger aufgeladen sind die flammenden, fast immer nächtlichen Bilder Helmut Middendorfs, in denen der Moloch Stadt von ekstatischen Sängern und Tänzern bevölkert wird, während Bernd Zimmer, eigenen Worten zufolge »die Rückkehr des Gegenstandes in der Technik der Abstraktion« betreibend, zu magisch durchleuchteten Landschaften in der Davoser Farbtradition Ernst Ludwig Kirchners gelangt.

Elvira Bach hat für ihre Frauengestalten eine schlichte, plakative Bildsprache gefunden, Ina Barfuss bitter-sarkastisch deformierte Menschen in gewalttätige Handlungen verwickelt, Thomas Wachweger Figuren in eine bedroht-bedrohliche Welt gesetzt und Bernd Koberling, inspiriert von nordischen Landschaften vor allem, einen neuen Typus von Reisebildern geschaffen. Peter Chevalier und Dieter Hacker schließlich fügen symbolträchtige Gegenstandsfragmente collageartig zusammen.

Köln

Mülheimer Freiheit Nr. 110 lautete die erste Atelieradresse der Neuen Wilden Kölns. Sie diente von 1980 an zugleich als Namen der Gruppe. Zusammengehalten wurden die Künstler freilich »mehr durch eine gemeinsame Haltung als durch ein ausformuliertes Programm. Prägend war die Auseinandersetzung mit der italienischen Arte cifra und ihrer neuen Ästhetik. Es geht weniger um Malerei als um eine Benutzung der Möglichkeiten der Malerei für visuelle Umsetzung ihrer Bildphantasien, um die Lust am Bild« (Wolfgang Max Faust). 1983 löste sich die Gemeinschaft wieder auf, die ›Mülheimer Freiheit‹ als Markenzeichen für die Neuen Wilden von Köln ist jedoch geblieben.

Kennzeichnend für die Kölner sind unbekümmerte, häufig zum Extrem neigende Bilderfindungen, die, spontan und intensiv auf die Leinwand gesetzt, vielfältigste visuelle Einflüsse verraten. Von Hans Peter Adamski stammen mehrschichtige Bildkonstruktionen mit verkürzten und ironisch verfremdeten Motiven. Bei Peter Bömmels winden sich außerirdische Wesen über die ganze Bildfläche, während der aus der Tschechoslowakei zugewanderte Jiří Georg Dokoupil, »an einer Arbeit in Brüchen und Widersprüchen interessiert«, wie er selbst sagt, sich im figürlichen Bereich auf ein »permanentes Hakenschlagen« (Klaus Honnef) eingelassen hat. Die Einzelmotive Walter Dahns sind monumentalisiert, die banalen, fast schablonenartigen Figuren Gerhard Naschbergers in einen Zustand ekstatischer Erleuchtung versetzt. Volker Tannerts langarmige Gestalten wollen alles erfassen und greifen doch ins Leere. Ein Charakteristikum der Neuen Wilden, speziell der Kölner, übrigens ist, daß sie Bilder auch gemeinschaftlich malen, zu zweit – wie z. B. Dahn und Dokoupil (Abb. 115) –, gelegentlich sogar zu dritt.

Hamburg

Die Hamburger Neuen Wilden begannen nicht kollektiv in einer Galerie oder in einem Atelier und haben sich wohl auch deshalb ihren Subjektivismus am stärksten bewahrt. Provokation freilich lautet auch ihre Devise. Wertmaßstäbe werden relativiert, moralische Hürden mit Zynismus genommen. Allen Hamburgern gemeinsam ist immerhin ein starkes soziales, von politischer Parteinahme bestimmtes Engagement. So sucht Werner Büttner mit grau-lehmigen, schmutzigen Farben »der sozialen Wirklichkeit von heute so nahe wie möglich zu kommen und Symbole dafür zu finden« (Abb. 116), so entrollt Albert Oehlen Panoramen der Alltagstristesse. Sein Bruder Markus Oehlen hat sich figurativen Bildern mit bemerkenswert vielen abstrakten Formelementen zugewandt, während Martin Kippenberger Arbeiten manchmal nach der Art von Comic Strips arrangiert. Er und Büttner pflegen übrigens nicht nur eine gekonnt hilflose Pinselführung, sondern sie versehen ihre Kompositionen auch gern mit teils parodistischen, teils scheinbar unsinnigen Titeln und malen diese in die Bilder hinein. Dieses Verfahren ist auch den Kölnern und keineswegs nur den Neuen Wilden vertraut. Seit

115 Walter Dahn/Jiří Georg Dokoupil, Gedanken sind Feuer, 1981 ▷

116 Werner Büttner, Die Probleme des Minigolf in der europäischen Malerei Nr. 8, 1982/83

den sechziger Jahren hat es Jörg Immendorff einfallsreich und
zweifellos auch mit Vorbildwirkung praktiziert.

Jenseits der deutschen Grenzen

Der von den Neuen Wilden inszenierte ›Bildwechsel‹, so ein
Berliner Ausstellungstitel von 1981, hat an den deutschen Grenzen nicht haltgemacht. Parallele Ausdrucksformen fanden in
der Schweiz Martin Disler, Felix Müller, Claude Sandoz und
die japanische Wahlschweizerin Leiko Ikemura, während sich
Luciano Castelli der Berliner Gruppe anschloß. Für Österreich
sind Erwin Bohatsch, Hubert Schmalix und der inzwischen nach
Köln übergesiedelte Siegfried Anzinger zu nennen, für Däne-
mark Per Kirkeby, der sich freilich, seit 1978 in Berlin ansässig,
schon längst an Ausstellungen junger deutscher Kunst beteiligt

117   Per Kirkeby, Vibeke Sommer IV, 1983/84

(Abb. 117). In den Niederlanden hat René Daniels Position bezogen, in Frankreich Gérard Garouste. Die erzählenden, von aggressiven Köpfen und Armen überfüllten Menschenbilder des Bruce McLean finden sich ein wenig isoliert in Großbritannien, nachdem Malcolm Morley mit seinen sanften, pseudoidyllischen Landschaften zur amerikanischen Szene abgewandert ist.

New Image Painting

›New Image Painting‹ bezeichnet die amerikanische Variante zur europäischen Postmoderne. Werke dieser Art »pendeln zwischen den Polen Abstraktion und Realismus. Die Maler zeigen Dinge, die erkennbar und alltäglich sind. Zugleich zeigen sie die Dinge aber isoliert und aus ihrem normalen Zusammenhang herausgenommen« (Richard Marshal). Der Begriff ›New Image Painting‹ tauchte erstmals 1978 in New York auf, wo er als Titel einer entsprechenden Ausstellung des Whitney Museums diente.

Im Gegensatz zu ihren europäischen Kollegen verzichten die jungen Amerikaner weitgehend darauf, aus der Kunstgeschichte zu zitieren und in mythische Tiefen zu dringen. Auch ist ihre malerische Sinnlichkeit und gestische Energie bei weitem nicht so intensiv. Dafür findet sich auf breitem Feld »eine mitunter exotische Mischung aus Konservativismus, Experimentierlust, Risikofreude und ungebremstem Spielwitz« (Klaus Honnef).

Zu den frühesten Vertretern dieser neuen amerikanischen Bildsprache gehört Neil Jenney, der bereits Ende der sechziger Jahre Motive der Pop Art abstrakt-expressionistisch auflöste und eine betont sparsame Figuren-Thematik schuf. Zu größerer Bekanntheit gelangte David Salle, dessen komplizierte Stilüberlagerungen in der Manier Picabias Geschichten erzählen, die sich freilich nur selten entschlüsseln lassen (Abb. 118). Julian Schnabel montiert Teller, Tassen, Tierhäute, Säcke und Samt auf seine Bildträger und gelangt durch Übermalung des Ganzen zu vordergründigen Effekten wie zu neuen Verrätselungen, während Jonathan Borofsky Persönliches mit Allgemeinem,

18   David Salle, ›Wo ist der Honig‹, 1983

Fotografisches mit Malerischem und Schriftzeichen mit Filmischem mischt. Es handelt sich um kindliche Alptraumphantasien, die sich, expressiv vorgetragen, häufig als riesenhaft vergrößerte Schatten auf Wänden und Fußböden niederschlagen. Louisa Chase verleiht persönlichen Erfahrungen in starkfarbigen Landschaftsbildern metaphorischen Ausdruck, und Susan Hall schließlich nutzt die Mittel des Symbolismus, um unter glänzendglatten Oberflächen einer bengalischen Farbigkeit Sehnsüchte und Leidenschaften kühl mitteilen zu können.

Graffiti

Die Graffiti-Kunst hat ihren Ursprung in der New Yorker Untergrundbahn. Sie entstand aus sozialem Protest. Arbeitslose Jugendliche, Puertoricaner vor allem, sowie Angehörige anderer ethnischer Minderheiten, die aus dem Ghetto ihrer Diskriminierung auszubrechen suchten, begannen, U-Bahn-Wagen mit Farbe zu besprühen. »Die Faszination der rasenden und ratternden Subways, die Möglichkeit, sich an exponierter Stelle – für Millionen sichtbar – selbst zu verwirklichen, aus der Anonymität herauszutreten, schneller zu sein nicht nur, um der Polizei zu entwischen, sondern auch, um den eigenen (meist erfundenen) ›Namen‹ so häufig wie möglich anbringen zu können, am besten einen Wagen oder einen ganzen Zug zu beschriften, um so König zu werden unter den Graffiti-Writers, auch besser zu sein, Schriften und Zeichen so zu gestalten, daß sie dem rasenden Tempo der Züge entsprechen, lesbar bleiben und zugleich so individuell, daß jeder sofort erkennt, wer der Schreiber ist« (Raimund Thomas), dies alles zusammen wurde zur ›Schule‹ der Graffiti-Maler, die ihre Sprühfarben schließlich auf Leinwände setzten und damit von 1980 an in die Galerien New Yorks und bald auch nach Europa gelangten.

Die künstlerische Bedeutung der Graffiti-Malerei mag umstritten sein. Unbestreitbar bleibt, daß die Anwendung eines neuen technischen Mittels, der Sprühdose, zu einer neuen bild-

119   DAZE, James van der Zee, 1983

nerischen Ausdrucksform geführt hat, zu deren wesentlichsten
Kennzeichen Phantasie und Spontaneität gehören. Charakteristisch für die meisten Graffiti-Maler ist, daß sie die Decknamen
ihrer U-Bahn-Zeit beibehalten haben. CRASH (John Matos)
liebt es, Autos, Flugzeuge und Bomben stürzen zu lassen, alles,
was mit ›Krach‹ zu tun hat, in den Bildern von DAZE (Chris
Ellis) spiegelt sich sein »Interesse für Film, Tanz, Comics und
die täglichen Erfahrungen mit der Stadt« (Abb. 119), SEEN,
einst ›king‹ der Subway-Linie 6, bevorzugt »einfache Buchstaben
und Zeichen, die leicht zu lesen sind«, LEE (Lee Quinones)
bevölkert seine Leinwände mit Bettlern, Kriminellen und gesellschaftlichen Außenseitern, NOC 167 (Melvin Samuels) hat fil-
mische Mittel aufgenommen, während FUTURA 2000 (Leon-
hard McGurr), 1955 geboren und damit ein halbes Jahrzehnt
älter als die meisten seiner Graffiti-Kollegen, einen eigenen Stil
in Richtung der Improvisationen Kandinskys entwickelt hat.

Zeittafel

1899 Signac veröffentlicht seine Farbtheorie ›D'Eugène Delacroix au Néoimpressionisme‹ (Von Eugene Delacroix zum Neoimpressionismus). (S. 12)

1901 Kandinsky gründet die Künstlergruppe ›Phalanx‹ in München. (S. 26)
Gründung des ›Salon d'Automne‹ in Paris (Gründungsmitglied u. a. Matisse). (S. 13)

1904 Die Fauvisten (Vlaminck, Derain, Picasso der Blauen Periode), die Expressionisten (vor allem Kirchner) finden neue Anregungen für ihre Kunst in afrikanischen Plastiken. (S. 12)

1905 Die Gruppenbezeichnung ›Fauves‹ (= Die Wilden) entsteht aus der abwertenden Kritik, die Louis Vauxcelles im Hinblick auf die Werke von Vlaminck und Derain verfaßt. (S. 13)
Die Künstlergemeinschaft ›Brücke‹ wird von Kirchner, Schmidt-Rottluff, Heckel und Bleyl in Dresden gegründet. (S. 19)
Bedeutende Cézanne-Retrospektive in Paris. (S. 59)

1907 Picasso malt das erste Bild mit kubistischen Stilelementen: ›Les Demoiselles d'Avignon‹. (S. 57)

1908 Picasso und Braque entwickeln zusammen den Kubismus (Protokubismus). (S. 59)

1909 Kandinsky, Jawlensky, Kubin u. a. schließen sich zur ›Neuen Künstlervereinigung‹ zusammen. (S. 26)

1909 Erste Ausstellung der ›Neuen Künstlervereinigung‹ in der Galerie Thannhauser in München. (S. 27)

Marinettis ›Manifest des Futurismus‹ erscheint in der Pariser Tageszeitung ›Le Figaro‹. (S. 69)

1910 Marc und Macke treten der ›Neuen Künstlervereinigung‹ bei. (S. 27)

Boccioni, Carrà, Severini, Balla u. a. verfassen das erste ›Manifest der futuristischen Maler‹ und das ›Technische Manifest der futuristischen Malerei‹. (S. 71)

1911 Die ›Brücke‹-Maler siedeln nach Berlin über. (S. 24)

Kandinsky und Marc gründen eine eigene Künstlergemeinschaft in München, wo auch die erste Ausstellung in der Galerie Thannhauser stattfindet. Der Titel des Almanachs ›Der Blaue Reiter‹ wird zum Namen der Gruppe. (S. 27)

1912 Kandinsky veröffentlicht seine theoretische Abhandlung ›Über das Geistige in der Kunst‹ im Almanach ›Der Blaue Reiter‹. (S. 27)

Zweite Ausstellung der Künstlergemeinschaft um Kandinsky und Marc in München, an der auch Paul Klee teilnimmt. (S. 28)

›2. Sonderbund-Ausstellung‹ in Köln, auf der zum erstenmal ein Überblick über die wichtigsten Stilentwicklungen seit dem Impressionismus gegeben wird. (S. 29)

Herwarth Walden eröffnet die Galerie ›Der Sturm‹ mit einer Ausstellung des ›Blauen Reiter‹. (S. 35)

Um die von Walden herausgegebene Zeitschrift ›Der Sturm‹ sammeln sich die Wortführer des Expressionismus. (S. 36)

Braque und Picasso fertigen erste Papier-Collagen (papier collé) an. (S. 63)

Die beiden Maler Gleizes und Metzinger bringen das erste theoretische Buch über den Kubismus ›Du Cubisme‹ heraus. (S. 65)

Gründung der kubistischen Künstlergruppe ›Section d'or‹ und einer gleichnamigen Zeitschrift. Erste Ausstellung der Gruppe in der Pariser Galerie de la Boëtie. (S. 65)

1912	Ausstellung futuristischer Werke in Paris, London, Berlin und anderen deutschen Städten. (S. 73)

1912 Ausstellung futuristischer Werke in Paris, London, Berlin und anderen deutschen Städten. (S. 73)

Apollinaire prägt für die Malerei Robert Delaunays den Begriff ›Orphismus‹ als Bezeichnung für die Wechselwirkung von Farbe und Licht. (S. 67)

1913 Die ›Brücke‹ löst sich auf, nachdem es zu Meinungsverschiedenheiten über die von Kirchner verfaßte ›Chronik der Brücke‹ gekommen war. (S. 24)

Feininger schließt sich der Gruppe ›Der Blaue Reiter‹ an. (S. 28)

Im Frühjahr findet in einer New Yorker Kaserne die erste amerikanische Großausstellung moderner europäischer und amerikanischer Kunst unter dem Titel ›Armory Show‹ statt. (S. 31)

Die Künstlergruppe ›Das junge Rheinland‹ wird auf Initiative von Macke gegründet. (S. 31)

Uraufführung der ersten futuristischen Oper ›Sieg über die Sonne‹ mit Musik von Matjuschin in Petersburg. (S. 85)

1914 Duchamp stellt in New York seine ersten ›Ready-mades‹ aus. Als industriell vorgefertigte Objekte erhalten die Ready-mades ihre Bestimmung als Kunstwerke durch die Art ihrer Präsentation. (S. 177)

1915 ›Erste Futuristische Ausstellung Tramway W‹ in Petrograd unter Beteiligung der russischen Kubo-Futuristen. (S. 76)

Malewitsch entwickelt den ›Suprematismus‹. (S. 84)

1916 Ball, Tzara, Huelsenbeck, Arp u. a. begründen den Dadaismus im ›Cabaret Voltaire‹ in Zürich. (S. 120)

Die New Yorker Galerie des Fotografen Alfred Stieglitz ›291‹ wird zum Aktionszentrum für Duchamp und Picabia. (S. 120)

1917 Die Künstlergruppe ›De Stijl‹ wird in Holland gegründet. Ihr gehören Maler (Mondrian), Bildhauer und Architekten an. Im gleichen Jahr erscheint die erste Nummer der Zeitschrift mit gleichem Titel. (S. 106)

Der Exfuturist Carrà und de Chirico, die sich in Ferrara treffen, nennen ihre Malerei ›Pittura metafisica‹. (S. 121)

1917 Apollinaire gebraucht zum erstenmal die Bezeichnung ›Surrealismus‹ im Untertitel zu seinem Bühnenstück ›Les Mamelles de Tiresias‹. (S. 123)

1918 Ozenfant und Jeanneret (Le Corbusier) veröffentlichen in Paris das Manifest ›Après le cubisme‹ (Nach dem Kubismus). (S. 117)
Gründung der ›Novembergruppe‹ in Berlin, der u. a. Hausmann, Grosz und Dix angehören. (S. 141)

1919 Lissitzky fertigt seine ersten konstruktivistischen Gemälde an, die er ›Prounen‹ nennt. (S. 88)
Der Architekt Walter Gropius gründet das ›Bauhaus‹ in Weimar. (S. 109)
Kurt Schwitters fertigt seine ersten MERZ-Bilder an. (S. 120)
Breton und Soupault entdecken die Möglichkeiten der ›écriture automatique‹ (automatische Bildschrift). (S. 124, 133)
Chirico wendet sich dem Neoklassizismus zu und schreibt mit Carrá und Morandi für die italienische Zeitschrift ›Valori plastici‹. (S. 160)

1920 Mondrian prägt den Begriff ›Neoplastizismus‹ für die ›Stijl‹-Malerei. (S. 106)

1921 In Moskau bildet sich die ›Künstlergruppe der Konstruktivisten‹. (S. 91)
Lenin verkündet für die Sowjetunion den Beginn der ›Neuen Ökonomischen Politik‹ (NEP) und weist der Kunst die Funktion der politischen Massenbeeinflussung zu. (S. 92)

1922 Erste russische Kunstausstellung in der Berliner Galerie van Diemen, mit Werken der Konstruktivisten Rodtschenko, Annenkow, Drevin, Popowa u. a. (S. 92)

1924 Breton veröffentlicht sein erstes ›Manifest des Surrealismus‹. (S. 124)

1925 Das ›Bauhaus‹ wird nach Dessau verlegt. (S. 110)
Max Ernst erfindet die Technik der ›Frottage‹. (S. 133 f.)
Ausstellung unter dem Titel ›Neue Sachlichkeit‹ in der Städtischen Kunsthalle in Mannheim. (S. 144)

1928 Gründung der ›ASSO‹ (Association revolutionärer bildender Künstler) in Berlin, die 1933 von den Nationalsozialisten verboten wurde. (S. 153)

1930 Theo van Doesburg verwendet erstmals den Begriff ›konkrete Kunst‹. (S. 115)

1931 Gründung der Interessengemeinschaft ›Abstraction-Création‹, zu der sich die Vertreter der konkreten Kunst zusammengeschlossen haben. (S. 116)

1932 Das ›Bauhaus‹ siedelt nach Berlin über. (S. 110)
Stalin erklärt den ›Sozialistischen Realismus‹ zur offiziellen Kunstrichtung. (S. 155)

1933 Das ›Bauhaus‹ wird von den Nationalsozialisten ›als Brutstätte des Bolschewismus‹ diffamiert und geschlossen. (S. 110)

1937 Das ›New Bauhaus‹ wird von Moholy-Nagy in Chicago gegründet. (S. 112)
Picasso malt ›Guernica‹ für die Weltausstellung in Paris. (S. 168)
Die Nationalsozialisten veranstalten die Wanderausstellung ›Entartete Kunst‹. (S. 144)

1939 Moholy-Nagy gründet die ›School of Design‹. (S. 112)

1944 Der Schweizer Maler Max Bill, ein Vertreter der konkreten Kunst, gründet die Zeitschrift ›abstrakt / konkret‹. (S. 116)

1945 In Paris stellen Dubuffet und Fautrier erstmals Bilder der ›art informel‹ aus. (S. 195)

1946 Das ›Manifesto blanco‹ des italienischen Malers Fontana wird veröffentlicht. (S. 202)

1947 Der amerikanische Maler Jackson Pollock fertigt ›Drip-Paintings‹ (Tropf-Bilder) an, die die Stilrichtung des ›Action Painting‹ begründen. (S. 193)
Tachismus-Ausstellung in der Pariser Galerie Drouin. (S. 189)

1948 In Mailand wird die Künstlergruppe ›Movimento arte concreta‹ (MAC) gegründet. (S. 204)

1949 In Paris formiert sich die internationale Künstlergruppe ›Cobra‹. (S. 187 f.)

1952 Das Buch ›Die andere Kunst‹ von Tapié wird veröffentlicht und dient als Lehrbuch für die tachistische Malerei. (S. 191)

1955 Vasarely veröffentlicht sein ›Gelbes Manifest‹, in dem er die serielle Herstellung von Kunstwerken fordert. (S. 206 f.)
Konrad Klapheck malt sein erstes Neofiguratives Bild. (S. 234)

1959 Heinz Mack und Otto Piene geben Band 1 + 2 von ZERO heraus und definieren das Verhältnis von Monochromie und Bewegung in der Malerei. (S. 202)

1965 Die Pop Art, von England ausgehend, gelangt zu internationaler Geltung. (S. 217)
Der ›Neue Realismus‹ entwickelt sich als entschiedenste Gegenströmung zur abstrakten Kunst. (S. 223 ff.)

Um 1970 Die bisher relativ linear verlaufende Entwicklung der Malerei wandelt sich zu einem Nebeneinander der verschiedensten Stilrichtungen. Dies führt gleichzeitig zu fließenden Übergängen zwischen den tradierten Kunstgattungen.

Um 1980 Die Wiederkehr der reinen Malerei bedeutet eine Abkehr von den Zwängen des Intellekts der siebziger Jahre. Den ›Neuen Wilden‹ wird der Expressionismus zum Vorbild.

Bibliografie
(deutschsprachige Literatur)

Allgemeine Literatur zur Malerei des 20. Jahrhunderts

Argan, Giulio Carlo: Die Kunst des 20. Jahrhunderts. Berlin 1977
Glozer, Laszlo: Westkunst. Zeitgenössische Kunst von 1939 bis 1981. Köln 1981
Grohmann, Will (Hrsg.): Kunst unserer Zeit. Malerei und Plastik. Köln 1966
Hess, Walter: Dokumente zum Verständnis der modernen Malerei. Neuausgabe. Reinbek 1984
Hofmann, Werner: Grundlagen der modernen Kunst. Stuttgart 1978
Hughes, Robert: Der Schock der Moderne. Düsseldorf 1982
Lucie-Smith, Edward, Sam Hunter u. Adolf Max Vogt: Kunst der Gegenwart. Berlin 1978
Richter, Horst: Malerei unseres Jahrhunderts. 2. Aufl. Köln 1977
Rubin, William (Hrsg.): Primitivismus in der Kunst des zwanzigsten Jahrhunderts. München 1984
Ruhrberg, Karl: Der Schlüssel zur Malerei von heute. Neuausgabe, Düsseldorf 1986
Schmidt, Georg: Kleine Geschichte der modernen Malerei. 13. Aufl. Basel 1982
Schneckenburger, Manfred: Der letzte Aufbruch der Moderne. Kunst der Gegenwart. Berlin 1984
Thomas, Karin: Bis heute. Stilgeschichte der bildenden Kunst im 20. Jahrhundert. 6. Aufl. Köln 1985
Tendenzen der Zwanziger Jahre. 15. Europäische Kunstausstellung. Katalog. Berlin 1977
documenta 1–7. Ausstellungskataloge. Kassel 1955–1982
Kunstforum international (Zeitschrift). Köln 1973 ff.

Literatur zur Malerei einzelner Länder

Schmied, Wieland: Malerei nach 1945 in Deutschland, Österreich und der Schweiz. Berlin 1974
Vogt, Paul: Geschichte der deutschen Malerei im 20. Jahrhundert. Köln 1972 (Paperback 1976)
Thomas, Karin: Zweimal deutsche Kunst nach 1945. Köln 1985
Sammlung deutscher Kunst seit 1945. Katalog. Städt. Kunstmuseum Bonn 1983
Von hier aus. Zwei Monate neue deutsche Kunst in Düsseldorf. Ausstellungskatalog. Düsseldorf 1984
Sotriffer, Kristian (Hrsg.): Der Kunst ihre Freiheit. Wege der österreichischen Moderne von 1880 bis zur Gegenwart. Wien 1984
Lüthy, Hans A., u. Hans-Jörg Heusser: Kunst in der Schweiz 1890–1980. Zürich 1983

Rose, Barbara: Amerikas Weg zur modernen Kunst. Köln 1969
Gray, Camilla: Die russische Avantgarde der modernen Kunst 1863–1922. Köln 1963 (Paperback: Das große Experiment. Köln 1974)
Russische Avantgarde-Kunst. Die Sammlung George Costakis. Katalog. Köln 1982
Paris-Paris 1937–1957. Ausstellungskatalog. München 1981

Fauvismus

Giry, Marcel: Der Fauvismus. Würzburg 1981

Expressionismus (allgemein)

Myers, Bernard S.: Die Malerei des Expressionismus. Köln 1957
Vogt, Paul: Expressionismus. Köln 1978
Dube, Wolf-Dieter: Der Expressionismus in Wort und Bild. Stuttgart 1983

Die »Brücke«

Buchheim, Lothar-Günther: Die Künstlergemeinschaft Brücke. Feldafing 1956
Reidemeister, Leopold: Künstlergruppe Brücke. Berlin 1976
Jähner, Horst: Künstlergruppe Brücke. Berlin/Stuttgart 1984

Neue Künstlervereinigung München und »Der Blaue Reiter«

Kandinsky, Wassily, u. Franz Marc (Hrsg.): Der Blaue Reiter (München 1912). Dokumentar. Neuausgabe v. Franz Lankheit. 3. Aufl. München 1979
Buchheim, Lothar-Günther: Der Blaue Reiter und die »Neue Künstlervereinigung München«. Feldafing 1959
Vogt, Paul: Der Blaue Reiter. Köln 1976

Expressionismus im Rheinland

Die Rheinischen Expressionisten. Hrsg. v. Städt. Kunstmuseum Bonn. Recklinghausen 1980

Berlin und der »Sturm-Expressionismus«

Walden, Herwarth: Expressionismus – Die Kunstwende (Berlin 1918). Reprint. Nendeln 1974
Brühl, Georg: Herwarth Walden und »Der Sturm«. Leipzig/Köln 1983

Expressionismus in Österreich

Kunst in Österreich 1900–1930. Ausstellungskatalog. Luzern 1974

Expressionismus in der Schweiz

Expressionismus in der Schweiz 1905–1930. Ausstellungskatalog. Winterthur 1975

Expressionismus in Belgien und den Niederlanden

Van Gogh bis Cobra. Holländische Malerei 1880–1950. Ausstellungskatalog. Stuttgart 1980

Religiöser Expressionismus

Schmied, Wieland: Zeichen des Glaubens – Geist der Avantgarde. Religiöse Tendenzen in der Kunst des 20. Jahrhunderts. Stuttgart 1980

Kubismus

Kahnweiler, Daniel Henry: Der Weg zum Kubismus (München 1920). Erweiterte Ausgabe. Stuttgart 1957
Rosenblum, Robert: Der Kubismus und die Kunst des 20. Jahrhunderts. Stuttgart 1960
Fry, Edward: Der Kubismus. Köln 1966
Daix, Pierre: Der Kubismus in Wort und Bild. Stuttgart 1982

Kubo-Expressionismus

Lamač, Miroslav: Moderne tschechische Malerei. Anfänge der Avantgarde 1907–1917. Prag 1967

Orphismus

Düchting, Hajo (Hrsg.): Robert Delaunay. Zur Malerei der reinen Farbe. Schriften 1912–1940. München 1983
Schuster, Peter-Klaus (Hrsg.): Delaunay und Deutschland. Köln 1985

Futurismus

Baumgarth, Christa: Geschichte des Futurismus. Reinbek 1966
Apollonio, Umbro: Der Futurismus. Manifeste und Dokumente einer künstlerischen Revolution 1909–1918. Köln 1972

Rayonismus

George, Waldemar: Larionow. Luzern/Frankfurt 1968

Frühe Abstraktion

Brion, Marcel: Geschichte der abstrakten Kunst. Köln 1965
Blok, Cor: Geschichte der abstrakten Kunst 1900–1960. Köln 1975

Suprematismus

Malewitsch, Kasimir: Suprematismus – Die gegenstandslose Welt. Hrsg. v. Werner Haftmann. Köln 1962
Shadowa, Larissa: Suche und Experiment. Dresden 1978

Konstruktivismus

Rotzler, Willy: Konstruktive Konzepte. Zürich 1977
Gaßner, Hubertus, u. Eckhart Gillen: Zwischen Revolutionskunst und Sozialistischem Realismus. Dokumente und Kommentare. Köln 1979

De Stijl und Neoplastizismus

Jaffé, Hans L.C.: Mondrian und De Stijl. Hrsg. v. Werner Haftmann. Köln 1967

Bauhaus

Wingler, Hans-M.: Das Bauhaus. 3. Aufl. Köln 1975

Dadaismus

Verkauf, Willy (Hrsg.): Dada. Monographie einer Bewegung. 2. Aufl. Teufen 1961

Richter, Hans: Dada – Kunst und Antikunst. Köln 1964
Wescher, Herta: Die Collage. Köln 1968

Surrealismus

Schneede, Uwe M.: Malerei des Surrealismus. Köln 1973
Metken, Günter (Hrsg.): Als die Surrealisten noch recht hatten. Texte und
Dokumente. Stuttgart 1976
Picon, Gaetan: Der Surrealismus in Wort und Bild. Lausanne 1976

Realismus zwischen den Kriegen

Realismus. Zwischen Revolution und Reaktion. Ausstellung Paris/Berlin
1980/81. Katalog. München 1981
Schneede, Uwe M. (Hrsg.): Die zwanziger Jahre. Manifeste und Dokumente
deutscher Künstler. Köln 1979
Steingräber, Erich (Hrsg.): Deutsche Kunst der 20er und 30er Jahre. München
1981
Zwischen Widerstand und Anpassung. Kunst in Deutschland 1933–1945. Ausstel-
lungskatalog. Berlin 1978
Krempel, Ulrich (Hrsg.): Am Anfang. Das Junge Rheinland. Zur Kunst- und
Zeitgeschichte einer Region 1918–1945. Düsseldorf 1945

Verismus

Kliemann, Helga: Die Novembergruppe. Berlin 1969
Schneede, Uwe M.: George Grosz. Der Künstler in seiner Gesellschaft. Köln
1975

Neue Sachlichkeit und Magischer Realismus

Schmied, Wieland: Neue Sachlichkeit und Magischer Realismus in Deutschland
1918–1933. Hannover 1969
Koella, Rudolf (Hrsg.): Neue Sachlichkeit und Surrealismus in der Schweiz
1915–1940. Winterthur/Bern o. J.

Sozialer / Sozialistischer Realismus

Hiepe, Richard: Die Kunst der neuen Klasse. Gütersloh 1973

Konstruktiver Realismus

Vom Dadamax zum Grüngürtel. Köln in den 20er Jahren. Ausstellungskatalog.
Köln 1975
Bohnen, Uli: Das Gesetz der Welt ist die Änderung der Welt. Die rheinische
Gruppe progressiver Künstler (1918–1933). Berlin 1976

American Scene

Amerika. Traum und Depression 1920–1940. Ausstellungskatalog. Berlin 1980

Abstrakter Expressionismus und Lyrische Abstraktion

Grohmann, Will (Hrsg.): Neue Kunst nach 1945. Köln 1958
Sandler, Irving: Abstrakter Expressionismus. Der Triumph der amerikanischen
Malerei. Herrsching 1974
Lambert, Jean-Clarence: Cobra – eine freue Kunst. Königstein 1985

Tachismus / Action Painting / Informelle Malerei

Bayl, Friedrich: Bilder unserer Tage. Köln 1960
Thema Informel. Ausstellungskatalog. Leverkusen/Berlin 1973
de la Motte, Manfred (Hrsg.): Dokumente zum deutschen Informel. Bonn 1976
Informel. Die Malerei der Informellen heute. Ausstellungskatalog. Saarbrücken 1983

Meditative und monochrome Malerei

Monochrome Malerei. Ausstellungskatalog. Leverkusen 1960
Wember, Paul: Yves Klein. Köln 1969

Neue konkrete Kunst / Op Art

Op Art. Ausstellungskatalog. Wuppertal 1969

Hard-Edge-Painting / Signal-Malerei / Farbfeldmalerei

Formen der Farbe. Ausstellungskatalog. Bern/Stuttgart 1966/67

Neue Ornamentik

Ornamentale Tendenzen in der zeitgenössischen Malerei. Ausstellungskatalog. Berlin/Leverkusen 1968
Hoffmann, Klaus: Neue Ornamentik. Köln 1970

Pop Art

Lippard, Lucy: Pop Art. München 1968
Wilson, Simon: Pop Art. München 1974

Neuer Realismus

Kultermann, Udo: Neue Formen des Bildes. Tübingen 1969
Roh, Juliane: Deutsche Kunst seit 1960. München 1971
Sager, Peter: Neue Formen des Realismus. Köln 1973
Zwischen Krieg und Frieden. Gegenständliche und realistische Tendenzen in der Kunst nach 45. Hrsg. v. Frankfurter Kunstverein. Berlin 1980

Fotorealismus / Hyperrealimus

Realismus und Realität. Ausstellungskatalog. Darmstadt 1975
Kunst nach Wirklichkeit. Ein neuer Realismus in Amerika und Europa. Ausstellungskatalog. Hannover 1973
Kultermann, Udo: Radikaler Realismus. Tübingen 1972

Phantastischer Realismus

Schmied, Wieland: Zweihundert Jahre phantastische Malerei. Berlin 1973 (Paperback, München 1980)
Muschik, Johann: Die Wiener Schule des Phantastischen Realismus. Wien/München 1974

Kritischer und Politischer Realismus

Kunst und Politik. Ausstellungskatalog. Karlsruhe/Frankfurt/Wuppertal 1970

Malerei im Ostblock

Aspekte sowjetischer Kunst der Gegenwart. Ausstellungskatalog. Köln/ Aachen 1982

Wojciechowski, Aleksander: Polnische Malerei der Gegenwart. Warschau 1974

Moderne ungarische Kunst. Museumskatalog. Pécs 1973

Lang, Lothar: Malerei und Graphik in der DDR. 2. Aufl. Luzern/Frankfurt 1980

Thomas, Karin: Die Malerei in der DDR 1949–1979. Köln 1980

Die Kunst Osteuropas im 20. Jahrhundert in öffentlichen Sammlungen der Bundesrepublik Deutschland und Berlins (West). Bochum 1980

Groh, Klaus: Aktuelle Kunst in Osteuropa. Köln 1972

Weichardt, Jürgen: Kunst in sozialistischen Staaten (CSSR, DDR, VR Polen, Ungarische VR). Oldenburg 1980

Analytische Malerei

Geplante Malerei. Ausstellungskatalog. Münster 1974

Postmoderne / Transavantgarde

Oliva, Achille Bonito: Im Labyrinth der Kunst. Berlin 1982

Kataloge der Kestner-Gesellschaft. Hrsg. v. Carl Haenlein: Sandro Chia, Francesco Clemente, Enzo Cucchi. Hannover 1983–85

Buchloh, Benjamin: Postmoderne – Neo-Avantgarde. Köln 1985

Die Neuen Wilden

Faust, Wolfgang Max, u. Gerd de Vries: Hunger nach Bildern. Köln 1982

Zeitgeist. Ausstellungskatalog. Berlin 1982

Ursprung und Vision. Neue deutsche Malerei. Ausstellungskatalog. Berlin 1984

Klotz, Heinrich: Die neuen Wilden in Berlin. Stuttgart 1984

Junge Künstler aus Österreich. Ausstellungskatalog. Luzern 1982

New Image Painting

Back to the USA. Hrsg. v. Klaus Honnef. Ausstellungskatalog. Bonn 1983

Graffiti

Bianchi, Paolo (Hrsg.): Graffiti. Wandkunst und wilde Bilder. Basel 1984

Thomas, Raimund: Classical American Graffiti Writers and high Graffiti Artists (dt./engl.). München 1984

Verzeichnis der Abbildungen

Farbtafeln

1 André Derain   Collioure   Das Dorf und das Meer, 1904/05
   Öl auf Leinwand, 65 x 81 cm
   Museum Folkwang, Essen

2 Ernst Ludwig Kirchner   Der Rote Turm in Halle, 1915
   Öl auf Leinwand, 120 x 91 cm
   Museum Folkwang, Essen

3 Franz Marc   Rehe im Wald II, 1913/14
   Öl auf Leinwand, 110,5 x 100,5 cm
   Staatliche Kunsthalle, Karlsruhe

4 August Macke   Tunis. Blick auf eine Moschee, 1914
   Aquarell, 26 x 20 cm
   Privatbesitz, Wuppertal

5 Marc Chagall   Ich und das Dorf, 1911
   Öl auf Leinwand, 191,2 x 150,5 cm
   Museum of Modern Art, New York, Mrs. Simon Guggenheim Fund

6 Emil Nolde   Landschaft bei Seebüll, 1956
   Aquarell
   Privatbesitz, Braunschweig

7 Oskar Kokoschka   Dresdner Neustadt IV, 1922
   Öl auf Leinwand, 80 x 120 cm
   Kunsthalle, Hamburg

8 Pablo Picasso   Porträt Ambroise Vollard, 1909/10
   Öl auf Leinwand, 92 x 65 cm
   Puschkin-Museum, Moskau

9 Robert Delaunay   Die Mannschaft von Cardiff, 1912/13
   Öl auf Leinwand, 196 x 130 cm
   Stedelijk van Abbe-Museum, Eindhoven

10   Umberto Boccioni   Der Lärm der Straße dringt in das Haus, 1911
     Öl auf Leinwand, 100 x 100,6 cm
     Niedersächsische Landesgalerie, Hannover

11   Wassily Kandinsky   Improvisation 10, 1910
     Öl auf Leinwand, 120 x 140 cm
     Galerie Beyeler, Basel

12   Kasimir Malewitsch   Gelb, Orange, Grün, um 1914
     Öl auf Leinwand, 44,5 x 33,5 cm
     Stedelijk Museum, Amsterdam

13   Piet Mondrian   Komposition, um 1922
     Öl auf Leinwand, 75,5 x 52,5 cm
     Museum Folkwang, Essen

14   Paul Klee   Burggarten 188, 1919
     Aquarell auf Kreide, 21 x 16,5 cm
     Sammlung Doetsch-Benziger, Basel

15   Oskar Schlemmer   Gruppe am Geländer I, 1931
     Öl auf Leinwand, 92,5 x 60,5 cm
     Kunstsammlung Nordrhein-Westfalen, Düsseldorf

16   Kurt Schwitters   Konstruktion für edle Frauen, 1919
     Assemblage, 103 x 84 cm
     County Museum of Art, Los Angeles

17   Giorgio de Chirico   Die beunruhigenden Musen, 1916
     Öl auf Leinwand, 97 x 66 cm
     Sammlung Giovanni Mattioli, Mailand

18   Max Ernst   Das Auge des Schweigens, 1943/44
     Öl auf Leinwand, 108 x 141 cm
     Washington University, St. Louis, Missouri

19   René Magritte   Die große Familie, 1947
     Öl auf Leinwand, 100 x 81 cm
     Sammlung Nellens, Knokke-Le Zoute

20   Georges Braque   Stilleben mit Pfeife, 1932
     Öl auf Leinwand, 54 x 65 cm
     Kunstmuseum Basel, Emanuel Hoffmann-Stiftung

21   Fernand Léger   Das große Frühstück, 1921
     Öl auf Leinwand, 183,5 x 252,5 cm
     Museum of Modern Art, New York, Mrs. Simon Guggenheim Fund

22   Max Beckmann   Fastnacht Frankfurt, 1920
     Öl auf Leinwand, 182 x 92 cm
     Privatbesitz, Hamburg

23 Henri Matisse Großes rotes Interieur, 1948
Öl auf Leinwand, 146 x 97 cm
Centre National d'Art et de Culture Georges Pompidou, Paris

24 Willi Baumeister Bluxao VIII, 1955
Öl und Tempera auf Hartfaserplatte, 45 x 35,5 cm
Privatbesitz, Stuttgart

25 Mark Rothko Erde und Grün, 1955
Öl auf Leinwand, 230 x 187 cm
Sammlung Mr. und Mrs. Ben Heller, New York

26 Wols Peinture, 1946/47
Öl auf Leinwand, 80 x 50 cm
Staatl. Museen Preuß. Kulturbesitz, Nationalgalerie, Berlin

27 Jackson Pollock Blaue Pfähle, 1953
Öl, Duco- und Aluminiumfarbe auf Leinwand, 210,8 x 488,9 cm
Sammlung Mr. und Mrs. Ben Heller, New York

28 Lucio Fontana Raumvorstellung, Das Ende Gottes, 1963
Öl auf Leinwand, 178 x 123 cm
Marlborough Fine Art, Rom

29 Josef Albers Hommage to the Square, 1967
Serigrafie, 68 x 68 cm
Galerie Denise René, Paris

30 Francis Bacon Porträt der Isabelle Rawsthorne in einer Straße in Soho,
1967
Öl auf Leinwand, 198 x 147 cm
Staatl. Museen Preuß. Kulturbesitz, Nationalgalerie, Berlin

31 Andy Warhol Marilyn, 1967
Serigrafie, 92 x 92 cm

32 Howard Kanovitz Chairshadow (Stuhlschatten), 1973
Liquitex Polymer Acrylic Matt Varnish, 274 x 122 cm
Galerie Thelen, Köln

Schwarzweiß-Abbildungen

1 Maurice Vlaminck Die Brücke von Chatou, 1907
Öl auf Leinwand, 68 x 96 cm
Staatl. Museen Preuß. Kulturbesitz, Nationalgalerie, Berlin

2   Erich Heckel   Zwei Männer am Tisch (An Dostojewski), 1912
    Öl auf Leinwand, 97 x 120 cm
    Kunsthalle, Hamburg

3   Karl Schmidt-Rottluff   Selbstbildnis mit Einglas, 1910
    Öl auf Leinwand, 84 x 76,5 cm
    Staatl. Museen Preuß. Kulturbesitz, Nationalgalerie, Berlin

4   Otto Mueller   Zigeunerfamilie (Polnische Familie), 1912
    Tempera auf Leinwand, 179,5 x 112 cm
    Museum Folkwang, Essen

5   Alexej Jawlensky   Blaue Kappe, 1912
    Öl auf Karton, 66 x 54 cm
    Privatbesitz New York

6   Heinrich Campendonk   Bukolische Landschaft, 1913
    Öl auf Leinwand, 100 x 85,5 cm
    Sammlung Morton D. May, St. Louis, Miss.

7   Paula Modersohn-Becker   Worpsweder Landschaft, o. J.
    Öl auf Pappe, 61,5 x 68 cm
    Museum Ludwig, Köln

8   Christian Rohlfs   Altes Haus in Dinkelsbühl, 1921
    Tempera auf Leinwand, 76 x 98 cm
    Karl-Ernst-Osthaus-Museum, Hagen

9   Ludwig Meidner   Porträt Max Herrmann-Neisse, 1920
    Tempera auf Pappe, 100 x 70 cm
    Hessisches Landesmuseum, Darmstadt (Leihgabe der Stadt)

10 Egon Schiele   Frau mit zwei Kindern, 1917
    Öl auf Leinwand, 150 x 160 cm
    Österreichische Galerie, Wien

11 Cuno Amiet, Landschaft mit Häusern, 1914
    Öl auf Leinwand, 73 x 59 cm
    Sammlung Gerhard Sauer, Worben

12 Constant Permeke   Morgendämmerung, 1935
    Öl auf Leinwand, 190 x 203 cm
    Sammlung Rothschild, Paris

13 Jan Sluijters   Die Bauern von Staphorst, 1917
    Öl auf Leinwand, 227 x 207 cm
    Frans Hals-Museum, Haarlem

14 Natalia Gontscharowa, Heuernte, 1910
    Öl auf Leinwand, 98 x 117,7 cm
    Privatbesitz

15 Georges Rouault   Der junge Arbeiter (Selbstbildnis), um 1925
    Öl auf Leinwand, 66 x 52 cm
    Centre National d'Art et de Culture Georges Pompidou, Paris

16 Pablo Picasso   Les Demoiselles d'Avignon, 1907
    Öl auf Leinwand, 245 x 235 cm
    Museum of Modern Art, New York (Vermächtnis Lilie P. Bliss)

17 Georges Braque   Der Portugiese, 1911
    Öl auf Leinwand, 116,7 x 81,5 cm
    Kunstmuseum, Basel

18 Juan Gris   Syphon, Glas und Zeitung, 1916
    Öl auf Leinwand, 55 x 46,5 cm
    Museum Ludwig, Köln

19 Bohumil Kubišta   Der heilige Sebastian, 1912
    Öl auf Leinwand, 98 x 75 cm
    Nationalgalerie, Prag

20 Giacomo Balla   Geschwindigkeit eines Autos + Licht + Ton, 1913
    Öl auf Leinwand, 87 x 130 cm
    Kunsthaus Zürich

21 Joseph Stella   Brooklyn Bridge, 1917
    Öl auf Leinwand, 216 x 190 cm
    Yale University Art Gallery, New Haven, Conn.

22 Natalia Gontscharowa   Der Radfahrer, 1912/13
    Öl auf Leinwand, 79 x 105 cm
    Russisches Museum, Leningrad

23 Michail Larionow   Blauer Rayonismus, 1912
    Öl auf Leinwand, 65 x 70 cm
    Privatbesitz, Paris

24 Frank Kupka   Philosophische Architektur, 1913
    Öl auf Leinwand, 143 x 112 cm
    Galerie Louis Carré, Paris

25 Alberto Magnelli   Composition 0530, 1915
    Öl auf Leinwand, 100 x 75 cm
    Privatbesitz, Paris

26 El Lissitzky   Proun I D., 1919
    Öl auf Leinwand auf Sperrholz, 96 x 71,5 cm
    Kunstmuseum, Basel

27 Henryk Berlewi   Mechano-Faktur-Element (Weiß auf Schwarz), 1923
    Gouache auf Papier, 54,8 x 43,8 cm
    Kaiser Wilhelm Museum, Krefeld

28 László Moholy-Nagy   Auf weißem Grund, 1923
Öl auf Leinwand, 101 x 80 cm
Museum Ludwig, Köln

29 Friedrich Vordemberge-Gildewart   Komposition Nr. 19, 1926
Öl auf Leinwand, 80 x 80 cm
Niedersächsische Landesgalerie, Hannover

30 Walter Dexel   Komposition, 1962
nach einer Skizze von 1923
Öl auf Leinwand, 80 x 61 cm
Privatbesitz, Braunschweig

31 Victor Servranckx   Opus 57, 1923
Öl auf Leinwand, 70 x 58 cm
Privatbesitz, Brüssel

32 Theo van Doesburg   Komposition in Schwarz und Weiß, 1918
Öl auf Leinwand, 74,5 x 54,4 cm
Kunstmuseum, Basel
(Emanuel-Hoffmann-Stiftung)

33 Lyonel Feiniger   Gelmeroda IX, 1926
Öl auf Leinwand, 108 x 80 cm
Museum Folkwang, Essen

34 Alexander Bortnyik   Stilleben mit Lampe, 1923
Öl auf Karton, 54 x 45 cm
Privatbesitz

35 Le Corbusier, Stilleben mit gestapelten Tellern, 1920
Öl auf Leinwand, 80,5 x 100 cm
Kunstmuseum Basel

36 Max Bill   Variation 1. 1935
aus ›quinze variations sur un même thème‹
1935–1938
Lithografie, 30,5 x 32 cm

37 Francis Picabia   Ici, c'est ici Stieglitz, 1915
Feder und rote und schwarze Tinte, 76 x 50,5 cm
The Metropolitan Museum of Art, New York

38 Salvador Dali   Vorahnung des Bürgerkrieges (Weiche Konstruktion mit
gekochten Bohnen), 1935
Öl auf Leinwand, 100 x 99 cm
Philadelphia Museum of Art

39 Yves Tanguy   Die Luft in ihrem Spiegel, 1937
Öl auf Leinwand, 99 x 80 cm
Niedersächsische Landesgalerie, Hannover

40   Richard Oelze   Die Erwartung, 1935/36
Öl auf Leinwand, 81,5 x 100,5 cm
The Museum of Modern Art, New York

41   Joan Miró   Rhythmische Persönlichkeiten, 1934
Öl auf Leinwand, 193 x 171 cm
Sammlung Philippe Dotremont, Brüssel

42   Arshile Gorky   Verlobung II, 1947
Öl auf Leinwand, 115 x 87,5 cm
Whitney Museum of American Art, New York

43   Otto Dix   Schützengraben in Flandern, 1922/23
Öl auf Leinwand, 180 x 200 cm
verschollen

44   George Grosz   Stützen der Gesellschaft, 1926
Öl auf Leinwand, 200 x 108 cm
Staatl. Museen Preuß. Kulturbesitz, Nationalgalerie, Berlin

45   Alexander Kanoldt   Olevano, 1924
Öl auf Leinwand, 40,3 x 54,5 cm
Museum Folkwang, Essen

46   Georg Schrimpf   Mädchen auf dem Balkon, 1927
Öl auf Leinwand, 94 x 73 cm
Kunstmuseum, Basel

47   Anton Räderscheidt   Die Rasenbank, 1921
Öl auf Leinwand
verschollen

48   Christian Schad   Graf St. Génois d'Anneaucourt, 1927
Öl auf Leinwand, 96 x 73 cm
Privatbesitz, Hamburg

49   Karl Völker   Industriebild, 1923
Öl auf Leinwand, 93 x 93 cm
Staatliche Galerie, Museum Moritzburg, Halle

50   Carl Grossberg   Dampfkessel mit Fledermaus, 1928
Öl auf Holz, 55 x 66 cm
Sammlung Tilde Grossberg, Sommerhausen a. Main

51   Franz Radziwill   Todessturz Karl Buchstätters, 1928
Öl auf Leinwand, 90 x 95 cm
Museum Folkwang, Essen

52   Hans Grundig   Hungermarsch, 1932
Öl auf Leinwand, 76 x 100 cm
Staatliche Kunstsammlungen, Gemäldegalerie Neue Meister, Dresden

53 Diego Rivera   Die Fron der Landarbeiter, 1935
   Ausschnitt aus dem Wandgemälde ›Klassenkampf der Neuzeit‹
   Nationalpalast, Mexico City

54 Isaac I. Brodsky   Lenin im Smolny, 1930
   Öl auf Leinwand
   Staatl. Tretjakow-Galerie, Moskau

55 Heinrich Hoerle   Denkmal der unbekannten Prothesen, 1930
   Öl auf Pappe, 66,5 x 82,5 cm
   Von der Heydt-Museum, Wuppertal

56 Franz Wilhelm Seiwert   Arbeitergruppe, 1926
   Öl auf Leinwand, 81 x 59,5 cm
   Museum Ludwig, Köln

57 Carlo Carrà   Pinie am Meer, 1921
   Öl auf Leinwand, 55 x 45 cm
   Sammlung Casella, Rom

58 Giorgio Morandi   Stilleben, 1957
   Öl auf Leinwand
   Privatbesitz, Mailand

59 Carl Hofer   Tessinlandschaft, 1925
   Öl auf Leinwand, 70,5 x 100 cm
   Museum Ludwig, Köln

60 Hans Purrmann   Zimmer mit Balkon, 1937
   Öl auf Leinwand, 100 x 81 cm
   Sammlung Lichtenhahn, Lugano

61 Amedeo Modigliani   Italienerin, o. J.
   Öl auf Leinwand, 112,5 x 67 cm
   The Metropolitan Museum of Art, New York

62 Pablo Picasso   Weinende Frau, 1937
   Öl auf Leinwand, 59,5 x 49 cm
   Sammlung Roland Penrose, London

63 Grant Wood   Amerikanische Gotik, 1930
   Öl auf Karton, 76 x 63,5 cm
   The Art Institute of Chicago (Friends of the American Art Collection)

64 Edward Hopper   Nighthawks, 1942
   Öl auf Leinwand, 77 x 153 cm
   The Art Institute of Chicago (Friends of the American Art Collection)

65 Roger Bissière   Komposition, 1957
   Öl auf Leinwand, 46 x 55 cm
   Privatbesitz

66 Nicolas de Staël   Les Martigues, 1953
Öl auf Leinwand, 81 x 100 cm
Privatbesitz, Frankreich

67 Pierre Soulages   Komposition, 1956
Öl auf Leinwand, 161,5 x 113,5 cm
Kunsthalle, Hamburg

68 Hans Hartung   Komposition T 55-18, 1955
Öl auf Leinwand, 162 x 110 cm
Museum Folkwang, Essen

69 Ernst Wilhelm Nay   Verwandlung, 1950
Öl auf Leinwand, 140 x 200 cm
Privatbesitz, Köln

70 Karel Appel   Mensch, Tier, Erde, 1952
Öl auf Leinwand, 110 x 100 cm
Stedelijk Museum, Amsterdam

71 Georges Mathieu   Dâna, 1958
Öl auf Leinwand gespritzt, 65 x 100 cm
Museum Ludwig, Köln

72 Antonio Saura   Marta, 1958
Öl auf Leinwand, 162 x 130,5 cm
Privatbesitz

73 Emilio Vedova   Sbarramente 1951, S. C.
Tempera, 130 x 170 cm
Privatbesitz, Venedig

74 Sam Francis   The Over Yellow, 1957/58
Öl auf Leinwand, 290 x 200 cm
Staatsgalerie, Stuttgart

75 Jean Dubuffet, Es läuft das Gras, es springen die Kiesel, 1956
Öl auf Leinwand (Assemblage), 201 x 154 cm
Privatbesitz

76 Antoni Tàpies   Painting, 1955
Öl auf Leinwand, 194 x 169,5 cm
Sammlung Philippe Dotremont, Brüssel

77 Emil Schumacher   Joop, 1963
Öl auf Leinwand, 100 x 80 cm
Museum Ludwig, Köln

78 Yves Klein   Schwammrelief RE 3, rot, o. J.
Schwämme mit Pigmentfarbe auf Sperrholzplatte, 82 x 63 cm
Kaiser Wilhelm Museum, Krefeld, Sammlung Walther und Helga Lauffs

79 Günther Uecker, Weiße Mühle, 1964
    Nägel auf Leinwand und Holz
    Privatbesitz, New York

80 Auguste Herbin Herdin, 1959
    Öl auf Leinwand, 97 x 130 cm
    Galerie Denise René, Paris

81 Victor Vasarely Paros, 1956–60
    Öl auf Leinwand, 87 x 80 cm
    Wilhelm Hack Museum, Ludwigshafen

82 Bridget Riley Descending, 1966
    Emulsion auf Karton, 91,5 x 91,5 cm
    Rowan Gallery, London

83 Kumi Sugai Parkplatz im Wald der Sonne, o. J.
    Öl auf Leinwand, 265 x 200 cm (zweiteilig)
    Staatl. Museen Preuß. Kulturbesitz, Nationalgalerie, Berlin

84 Frank Stella Sketch (Black and White) Les Indes Galantes, 1962
    Acryl auf Leinwand, 181 x 181 cm
    Galerie Leo Castelli, New York

85 Morris Louis, Sarabande, 1959
    Acrylfarbe auf Leinwand, 255 x 379 cm
    The Solomon R. Guggenheim Museum, New York

86 Gernot Bubenik, Schautafel, 1966
    Wiecolux auf Aluminium, 100 x 140 cm
    Privatbesitz

87 David Hockney Marriage of Styles II, 1963
    Öl auf Leinwand, 182 x 213 cm
    Sammlung Contemporary Art Society, London

88 R. B. Kitaj Walter Lippmann, 1965/66
    Öl auf Leinwand, 183 x 210 cm
    Albright Knox Art Gallery, Buffalo, N. Y. (Gift of Seymour H. Knox)

89 Roy Lichtenstein M. – Möglicherweise – Bild eines Mädchen, 1965
    Öl auf Leinwand, 152 x 152 cm
    Museum Ludwig, Köln (Sammlung Ludwig)

90 Robert Rauschenberg Tracer, 1964
    Öl und Siebdruck auf Leinwand, 214 x 152,5 cm
    Sammlung Mr. und Mrs. Frank M. Titelman, Altoona, Penn.

91 Mimmo Rotella, Misto, 1961
    Décollage, 78 x 79 cm
    Kaiser Wilhelm Museum, Krefeld

92   Alex Colville   Stop for Cows (Achtung Kühe), 1967
      Polymer, Acryl, 61 x 91,5 cm
      Marlborough Fine Art Gallery, London

93   Jacques Monory   Meurtre Nr. 8 (Frisiersalon), 1968
      Öl auf Hartfaserplatte, 65,5 x 100 cm
      Privatbesitz, Köln

94   Gerhard Richter   Tiger, 1972
      Fotoverwischung
      Städt. Museum Leverkusen, Schloß Morsbroich

95   Alfred Leslie, Akt und Porträt: Ihre Freundlichkeit, 1968–70
      Öl auf Leinwand, 150 x 120 cm
      Sammlung Mr. Sydney Lewis, Richmond (Virginia)

96   Konrad Klapheck   Schreibmaschine, 1955
      Öl auf Leinwand, 68 x 74 cm
      Besitz des Künstlers

97   Richard Lindner   Thank you, 1971
      Öl auf Leinwand, 194 x 137 cm
      Galerie Claude Bernard, Paris

98   Domenico Gnoli, Krawattenknoten, 1968
      Öl auf Leinwand, 141 x 200 cm
      Neue Galerie, Aachen – Sammlung Ludwig

99   Hans Bellmer   La petite chaise Napoléon III., 1956
      Gouache, 65 x 65 cm
      Galerie Jan Krugier, Genf

100   Rudolf Hausner   Adam nach dem Sündenfall, 1956
      Tempera-Harzölfarbe auf Sperrholz, mit Papier beklebt, 60 x 35 cm
      Museum des 20. Jahrhunderts, Wien

101   Renato Guttuso, Das Café Greco, 1976
      Öl auf Leinwand, 282 x 330 cm
      Museum Ludwig, Köln

102   Johannes Grützke, Komm, setz' dich zu uns, 1970
      Öl auf Leinwand, 160 x 190 cm
      Privatbesitz, Kolberg

103   Boris Malujew, Gerüstbauer, 1975
      Öl auf Leinwand, 158,5 x 201 cm
      Vereinigung der Künstler der UdSSR

104   Tadeusz Kantor, Pas'akas, 1957
      Öl auf Leinwand, 170 x 138 cm

105 Willi Sitte, Im LMW (Im Leichtmetallwerk), 1977
Öl auf Hartfaserplatte, Diptychon, 248 x 340 cm
Neue Galerie, Aachen – Sammlung Ludwig

106 Horst Sakulowski, Porträt nach Dienst, 1976
Öl auf Leinwand, 68 x 92 cm
Stadtmuseum Jena, DDR

107 Gotthard Graubner, Grün-rosa Leib, 1965
Leinwand, Acrylfarbe, Kissen, 49 x 43 x 7,5 cm
Kaiser Wilhelm Museum, Krefeld (Leihgabe aus Privatbesitz)

108 Jörg Immendorff, Groß Köln, 1984
Kunstharz auf Leinwand, 285 x 400 cm
Galerie Michael Werner, Köln

109 Robert Ryman, Crown, 1983
Email auf Fiberglas mit Stahl, 103 x 97 cm
Stedelijk Museum, Amsterdam

110 Georg Baselitz, Der Wald auf dem Kopf, 1969
Öl auf Leinwand, 250 x 190 cm
Museum Ludwig, Köln

111 Markus Lüpertz, Schwarz-Rot-Gold, 1974
Leimfarbe auf Leinwand, 261 x 197 cm
Privatbesitz, Köln

112 Arnulf Rainer, Rembrandt, 1969/70
Farbstift auf Foto, 60 x 50 cm
Privatbesitz

113 Francesco Clemente, Die fünf Sinne (The Five Senses), 1981
Pastellkreide auf Papier, 66 x 49,5 cm
Thomas Ammann Fine Art, Zürich

114 Salomé, Blutsturz, 1979
Kunstharz auf Nessel, 260 x 210 cm
Thomas Ammann Fine Art, Zürich

115 Walter Dahn/Jiří Georg Dokoupil, Gedanken sind Feuer, 1981
Dispersion auf Nessel, 200 x 150 cm
Privatbesitz

116 Werner Büttner, Die Probleme des Minigolf in der europäischen Malerei
Nr. 8, 1982/83
Öl auf Leinwand, 150 x 180 cm
Privatbesitz

117 Per Kirkeby, Vibeke Sommer IV, 1983/84
Öl auf Leinwand, 200 x 130 cm
Privatbesitz

118 David Salle, ›Wo ist der Honig‹, 1983
     Öl, Acryl auf Leinwand, 152 x 106 cm
     Galerie Ascan Crone, Hamburg

119 DAZE, James van der Zee, 1983
     Sprühfarben auf Leinwand, 137 x 136,5 cm
     Galerie Thomas, München
     Foto: Barbara Deller-Leppert, Forstinning

Copyright-Nachweis

Verzeichnis der Namen

DuMont Taschenbücher